12 唐代
西元618～906元

[注音本]

全新 吳姐姐講歷史故事

吳涵碧◎著

目錄

【第267篇】曲女城大會。

玄奘困在戈壁大沙漠之中，奄奄一息。他閉起眼睛，默默祈禱佛祖暗中保佑。

忽然之間，五天五夜滴水未進的老馬『嘶』的一聲站了起來。玄奘急忙跨上馬背，任著馬兒在沙漠中奔馳。不知道過了多久，頃刻之間，發現眼前一片綠油油的青翠草地，草地旁邊有一池清水。幸虧老馬識途，才撿回了一條命。

後來，玄奘經過了伊吾國，到達高昌國。高昌國的國王麴文泰是個佛教徒，老早就仰慕玄奘的名聲，在皇宮之中佈置了一間上房供他居住，希望他能在高昌國住下。

玄奘如果貪圖安逸，根本就不必走上這條辛苦的道路，因此他婉拒了麴文泰的好意。

麴文泰看他不領情，冷笑道：『你如果不肯留下來，我就派人送你回長安。』

玄奘仍然表示非去天竺不可。麴文泰又改用軟工夫，每天親自捧著菜飯去伺候玄奘。玄奘無可奈何，用絕食作爲抗議，低頭誦經，不吃不喝。雙方僵持四天以後，國王很受感動，答應放他西行，不過有兩個條件：

一是當玄奘從天竺歸國時，得在高昌國居住三年；一是現在先在高昌國講法一個月後才能啓程。

玄奘答應了這兩個條件，先在高昌國傳了一個月的佛理才啓程。走了幾百里之後到達凌山，也就是蔥嶺（帕米爾高原），蔥嶺高達七千尺，山頂終年積雪。玄奘咬緊牙根，奮鬥了七天七夜，越過蔥嶺，又經過西域二十多個國家，才到達天竺（印度）。

當時的印度分爲東、西、南、北、中五個部份，全境沒有統一。印度人都是騎象，玄奘也挑選了一匹灰色的大象騎著到各地去拜訪高僧。

其中最有名望的高僧是戒賢法師，居住在摩揭陀國中的那爛陀寺。那爛陀寺是印度最宏偉的寺廟，也是全印度的學術中心，寺中藏有佛經一百五十部，僧侶有一萬多人。

戒賢法師是一百零六歲的老和尚，他對玄奘不遠千里前來求學的精神十分佩服，破例開講，爲玄奘親自解說瑜伽論。瑜伽論是所有佛經之中最爲難懂的。

玄奘在那爛陀寺待了五年，然後又騎著大象到印度各地訪求高僧及佛理。一共遊歷了五十六個國家，足跡踏遍印度各地。

玄奘遊歷五十六國之後，又回到那爛陀寺，戒賢法師交代他一項任務。原來當時印度的佛教分爲大乘、小乘兩種，雖然兩派都信奉釋迦牟尼，可是對教義的解釋卻大不相同。玄奘經常挺身爲大乘派辯護，由於他口才絕佳，佛理精深，聞者莫不佩服。

戒日王為弘揚大乘佛法，特別在曲女城舉辦一場佛學大會，邀請全印度的高僧出席，由玄奘主講。並且歡迎小乘派的和尚提出質疑，更在大會門口貼上一張紙條『如果有任何一字不合理，被人推翻，願斬頭相謝。』

玄奘的講經一共舉行了五天，大家對他的經義無不傾服。小乘派雖然意圖反駁，竟然也提不出一個問題。因為玄奘的演說太精采了，會期一延再延，前後整整十八天才結束。

根據傳統，辯論勝利的人要騎在象背上繞城。當天，曲女城萬人空巷，擠著一覩中國高僧的神采。

曲女城大會之後，玄奘認為這是學成歸國的時候了。雖然戒日王及印度人民一再挽留，玄奘仍然堅持要走，因為他本來就是為取經而來的。臨走之時，摩揭陀國的國王、大臣、百姓夾道歡送，流著眼淚，大聲呼叫祝福，場面熱烈極了。

回程時，他如約在高昌國住了一段時候。可惜在經過信度河時，忽起狂風，五十篋經卷及印度的奇花種子都落入河中，無法撈回。

這時，唐朝的威勢已遠超當年玄奘前往取經的時代，所以一路上西域各國對這位大唐高僧十分禮遇。除了地勢險阻之外，不再有人爲的阻撓。

玄奘在于闐國上了一個奏章給唐太宗，說明當日私自出國的經過，並且敘述冒險取經的情形。唐太宗十分高興，立刻下詔書歡迎他回國，並且派敦煌官員前往迎接。玄奘出國十九年，回國時已五十歲了。

回到長安之後，太宗請他在弘福寺翻譯佛經，又爲他開了一個印度經典、佛教的展覽會，更爲玄奘建造一個塔，專門收藏他帶回去的佛像。同時，太宗親自寫了一篇『大唐三藏聖教序』長七百八十一字，說明玄奘西遊及佛教東傳的情形。大書法家褚遂良又用楷書抄了兩篇，一篇刻在長安慈恩寺，一篇刻在同州，成爲今日著名的書法字帖。

有一天，唐太宗對玄奘說：『天竺佛國路途遙遠，從前的史書上也沒有記載，你既然親身去過，何不把所見之事，詳細寫下來。』於是，玄奘便與他的弟子辯機合作，把西行沿途所見所聞寫出來，玄奘口述，辯機筆記，費時一年半，完成了《大唐西域記》十二卷，書中共記載了一百三十八國的山川物產風土習俗等，成爲中外交通史上一部極重要的著作。

玄奘把西遊的所見所聞，寫成《大唐西域記》，這是中西交通史上珍貴的史料。他又把老子道德經譯爲梵文，流傳到印度，眞正做到文化交流。

唐高宗時，更把玉華宮撥給玄奘居住。玄奘共翻釋了經論七十五部，一千三百卷。於麟德二年去世，享年六十九歲，前來送葬的僧侶達一百萬人之多。

民國三十一年，日本人在南京中華門外大報恩寺，挖到玄奘法師頂骨，一共分爲三塊。他們把三塊頂骨分藏於南京、北平、東京。民國四十一年，世界佛教會議在東京召開，中國代表團徵得日人同意把玄奘法師靈骨帶回臺灣，現安放在日月潭，並且建了一座『靈骨塔』。

玄奘可說是我國留學生最好的範本。他爲著求學不辭勞苦，他在異國爲國爭光，但是他又不眷戀他鄉，他奮鬥的目標乃是爲著自己的同胞，當然受到中外崇敬。

然而，古往今來，沒有任何佛教國家興盛。中國人民大量信佛，可是中國古代社會，人民常在水深火熱之中。

閱讀心得

【第268篇】

劉仁軌大破日軍。

日本人厚顏無恥地竄改史實，引起我中華兒女強烈的悲憤與不滿。在這個時候，讓我們回溯一下歷史上中日第一次大戰應該是很有意義的。首先爲大家介紹中國方面派出的大將——劉仁軌。

劉仁軌生於隋朝末年兵荒馬亂的時代，因爲遍地烽火，家裏又窮，沒有法子專心求學。不過，他是一個很知道上進的好孩子，遇到機會就猛讀書本。一個人經常用手指在沙上寫字，或者是，擡著頭，對著天空，一筆一畫努力練習。就這樣的書天畫地，漸漸地博覽文學及歷史。

在唐高祖武德初年，任瓌擔任河南道大使。有一次劉仁軌看到任瓌寫給皇帝的表章有幾處不妥，拿起毛筆就更動了幾個地方。

本來，沒有經過人家的允許，隨便修改他人的文章是件很不禮貌的事。可是，任瓌頗爲欣賞劉仁軌的才識與勇氣。把他補爲息州參軍，不久，又改爲陳倉尉。

當劉仁軌在擔任陳倉尉（約等於一縣中的警察局長）之時，他的部下有個叫魯寧的折衝都尉，脾氣暴躁，蠻橫放縱，歷居的縣尉都拿他沒有辦法。劉仁軌很天眞地想勸魯寧改邪歸正。

魯寧非但不聽劉仁軌的苦心勸導，反而比以前更加兇暴。劉仁軌年少

氣盛，一怒之下居然把魯寧給打死了。唐太宗接到消息，十分不悅：『這是那兒來的縣尉，怎麼可以把我的折衝給殺了！』

等到太宗深入調查之後，又非常讚賞劉仁軌的剛正。不但沒有處罰他，反而升爲櫟陽令，這又是太宗知人善任的明證。

貞觀十四年，唐太宗將要前往同州打獵，舒散身心。劉仁軌上了一個表章，勸太宗晚個十天，等到農民收刈終了再出發，以免躭誤收成。唐太宗是個很愛民的皇帝，特別降璽書嘉勉『卿職任雖卑，竭誠奉國，所陳之事，朕甚嘉之』，把他升爲給事中。到了唐高宗時代，劉仁軌又做到青州刺史。

顯慶五年，高宗有意往討遼東朝鮮半島。南北朝時代，朝鮮半島（今天韓國）分爲高麗、新羅與百濟王國，其中以高麗爲最強。隋煬帝、唐太宗都曾出師高麗，徒勞往返。

在這一年，唐朝大將蘇定方平定了百濟，把百濟王俘虜到了京師。百濟的王室扶餘豐逃到了倭國（日本），依倭國之援助，再與中國爲敵。此時，劉仁軌鎮守在百濟。

當蘇定方從百濟凱旋而歸之時，唐高宗見百濟已滅，想要討伐高麗，以雪前恥。不料，足足攻打了半年，高麗的平壤城依舊沒有攻下。唐高宗命令蘇定方返國，也要孤懸在百濟的劉仁軌撤兵回國。

前往討伐遼東的士兵都願意西歸，可是劉仁軌不肯。他召集了部下召開軍事會議道：『春秋之義，大夫出疆，有可以安社稷，便國家，專之可也。』這句話的意思是說：孔子在春秋一書中說得很清楚，大夫離開疆土，如果有利國家百姓可以專權。他又分析道：『如果陛下想要滅高麗，不能不制住百濟。如果此時西歸，沿途危險重重，很可能做了敵人的俘虜。而且百濟的扶餘豐與下面的人不合，各懷猜忌，遲早內部會起變化。』

果然，不久之後，扶餘豐因內部政變，急忙前往高麗及倭國請援。

倭國就是今天的日本。日本與中國的交往始於何時，各個學者有不同的說法。根據山海經的記載，遠在周朝的時候，中國已知日本的存在。不過，在中國的古書之中，日本被稱之為『倭』或者為『倭奴』，日本人自己也自稱為『倭』。

到了隋唐時代，日本不斷有使者前來中國，吸收唐朝文化，促成大化革新。漢學興起之後，他們發現『倭』字太不雅了，方才改稱爲日本。日本一方面大量吸收中華文化，一方面又因自卑感作祟。總是想打垮中國，更想伸張勢力到韓國，所以與百濟王互相勾結。

唐高宗命令劉仁軌離開轉往新羅的消息，被百濟王扶餘豐知道了，十分高興，派遣使者對劉仁軌說：『大使等何時西還，當遣人相送。』劉仁軌知道敵人此時一定放鬆了戒備，乘機出擊，佔領眞峴城，打通了通往新羅運糧的道路，解除了孤懸的危險。

百濟王扶餘豐做夢也沒有想到有此一招，急得趕緊向日本求援。日本派出海軍，浩浩蕩蕩駛向百濟。

雙方交手了四次，日本準備了三四年的兵力全部派出，可是仍然不是唐朝大軍的對手。日本船在白江口足足被燒毀了四百多艘，死傷四萬多人。整個白江口，放眼望去，煙焰漫天，海水皆赤。扶餘豐脫身而逃，他的寶劍被唐軍拾獲，他的士兵一起歸順唐朝。

這次大戰，日本被打得落花流水，日本不得不暫時放棄大陸政策。劉仁軌打敗百濟之後，先收拾骸骨，予以祭悼，再修錄戶口，設置長官，再開通道路，建築橋樑，興辦水利。百濟平定後，唐高宗又派李勣、薛仁貴，討伐高麗，高麗投降，唐朝在高麗的首都平壤設置安東都護府。中國在國勢強大時，每每平服四方，可是並沒有壓榨當地百姓，反而幫助建設。唐朝如此，明朝鄭和下西洋也是如此，這可以代表中國人愛好和平的天性。

閱讀心得

【第269篇】

文成公主。

吐蕃是唐朝在西方的強敵，吐蕃的根據地就是今天的西藏。吐蕃能夠漢化，和一位聰敏可愛的公主有關。現在，我們就要講文成公主的一段故事。

吐蕃爲何稱之爲吐蕃？說起來很好笑，其地本爲漢代西羌之地，乃南涼禿髮利鹿孤的後代。以後，用禿髮爲國號，吐蕃即爲禿髮語譯錯誤而來。從北周到隋朝，都與中國沒有往來。

當地的國王，稱之爲贊普，沒有文字，用刻木結繩紀事。刑罰十分嚴峻，犯個小罪就要挖眼睛、削鼻子，或者拿皮鞭抽打，把人關在深達數丈的地牢之中，過個兩三年才可見天日。因爲沒有法律明文規定，但隨當時喜怒哀樂量刑。

吐蕃宴客時，趕出一大群青康藏高原特產的犛牛，讓客人自己射殺之後再端上飯桌。每三年大結盟會一次，盟上殺犬馬牛驢作爲祭祀，並且發咒：『爾等必須同心戮力，共保我家，天神地祇，共知爾志，有負此盟，使爾身體屠裂，同此牲一般。』

西藏、西康一帶天氣太冷，不能種植稻米，以小麥爲主糧，並有犛牛、豬、馬等牲畜。還有一種天鼠，和貓一般大小，長有厚厚的毛，皮可用來

做衣裘。盛產金銀銅錫。

吐蕃人隨著放牧生活到處居住，是典型的畜牧生活。都城中的房子都是平頭屋，貴族人家住大氈帳。住處至爲污穢，而且一輩子從來不洗澡，用手直接抓東西吃，其髒可知。

在這兒，沒有人倫觀念，母親要向兒子下拜，做父親的對兒子講話要低聲下氣。出入都是年輕的走在前頭，老者跟在後面，與中原敬老尊賢的觀念大不相同。下拜時規定兩手著地，做狗吠之聲。總而言之，一切落後，沒有開化。

貞觀八年，吐蕃贊普棄宗弄讚開始遣使向唐朝朝貢。棄宗弄讚是吐蕃少有的英明君主，二十歲即位，性情驍武。他聽說突厥與吐谷渾都娶了唐朝的公主，心中很羨慕。也派了使者到達長安，奉表求婚，並且攜帶了大批珠寶表示誠意。

可是太宗拒絕了這門婚事。使者回來，稟報棄宗弄讚『我剛到大國之時，皇上待我十分優厚。可是後來吐谷渾王入朝，不知說了些什麼，唐朝對我的態度有所轉變，連婚事也不准了。』

棄宗弄讚大怒，立刻揮兵討伐吐谷渾，吐谷渾打不過，只有遠避青海。棄宗弄讚又帶領了二十多萬群衆，到達松州附近，遣使入貢金帛，並且揚言，此來是接公主回去的，更對部下宣佈『如果大國不嫁公主給我，我就攻進去！』

唐太宗不高興這種類似搶婚的行動，派五萬步騎趁夜偷襲吐蕃營地，殺了一千多人。棄宗弄讚領教了唐太宗的厲害，遣使謝罪，並且重新提出請婚的要求。唐朝既然大勝，更爲著雙方日後和平相處，應允了他的求婚。讓文成公主嫁給他。

據說，文成公主曾提出三個條件，一、須鑄一釋迦牟尼的佛像，入藏供奉；二、藏王婚後要宣揚文化；三、普惠文教，使民得潤澤。文成公主眞不是一個俗人，要的不是那綾羅珠寶等聘禮，棄宗弄讚一口答應了。

貞觀十五年，弄讚親自前來迎娶。他看到大國的衣冠文物、服飾禮儀，每一樣都讓他又羨慕又慚愧。等到文成公主到達吐蕃，弄讚對親友們說：『我的祖父、父親，從來沒有通婚上國的先例。今我得大國公主，實在太幸運了，我要爲公主建築一城，用以誇示後代。』

於是，他仿造唐朝的建築格式，爲公主建築了一座城邑，而且造了一座棟宇讓公主住在裏面，實在是不好意思帶文成公主進入簡陋的帳篷獻醜。

文成公主很厭惡吐蕃的赭面風俗（赭面就是把臉上塗得紅紅的），弄讚下令全國不許赭面。他自己的服裝，改用紈綺製成，一天一天的浸染華風。尤其文成公主知書達禮，端莊文雅，弄讚對她又敬又愛，也希望吐蕃人民如公主一般有教養。於是大量派遣酋豪子弟，請求進入中國的國學，學習詩文，並且聘請中國文人爲他辦理許多文書工作。他對於中國的養蠶、造紙、釀酒、製墨等技術，無不具有濃厚的興趣，也請求唐朝政府前來指導。

總之，弄讚對中國文物，著迷萬分，而且對唐太宗心悅誠服。當唐太宗攻下遼東，弄讚特別遣使祝賀，還獻上一隻金鵝，這隻金鵝用純黃金製成，高達七尺，中間可以盛三斗酒。奉表中自稱爲『忝爲子壻』，這個女壻對唐朝這個老丈人可眞是十分禮貌周到。

貞觀二十二年，唐朝的使者王玄策前往西域，被中天竺所劫掠。弄讚馬上發精兵討伐天竺，把王玄策救回，遣使獻捷。

當太宗去世時，弄讚十分傷心，獻上金銀珠寶十五種置於太宗靈前。更致書給長孫無忌道：『天子初即位，若臣下有不忠心者，當勒兵以赴國除討！』眞是夠義氣。

因爲文成公主的愛情，激使弄讚奮發向上，積極漢化。更因爲中華文化博大精深，使得弄讚心悅誠服。可惜，文成公主到達西藏之後第九年，棄宗弄讚就去世了，否則文成公主還能發揮更大的作用。

閱讀心得

【第270篇】

感業寺中的邂逅。

貞觀二十三年五月，一代英主唐太宗駕崩，太子李治即位，是爲唐高宗，改元永徽。

永徽五年，太宗忌日，唐高宗赴感業寺上香。忽然之間，在衆多女尼之間，他看到一個熟悉的身影。雖然她一張素臉，身披袈裟，頭髮也剃得精光，仍然不掩國色天香的容貌。她就是高宗朝思暮想的武才人。

武才人原爲唐太宗的妃嬪，才人爲官名。在高宗爲太子之時，已經注意到父親身邊有這麼一位美人兒。而且高宗在入侍太宗疾病之時，兩人已經偷偷的建立起了感情。只是才人既爲太宗的妃嬪，只有把這份情感埋在心底。

唐太宗去世之後，武才人隨著大衆，一塊兒到感業寺中削髮爲尼，也與高宗失去見面的機會。但卻沒有想到會在感業寺中，不期而遇。

武才人見到了高宗，怔怔的說不出話來。事實上，格於禮數，也不能開口。她擡起頭來，對高宗望了一眼，淚珠一滴一滴的滾下來。

高宗盯著武才人不放，心裡有千言萬語想要訴說，卻一個字也不能，暗自埋怨造物者的安排，也不知不覺的流下了眼淚。

當今皇上與一個女尼相對而泣，這可是一件不尋常的事。在旁伺候的

宮人當時固然一句話也不敢講，回到宮中迫不及待當成驚天動地的新聞到處傳播。一會兒，消息已經傳到了王皇后的耳中。

王皇后當時正在爲失寵而煩心，她沒有生兒子，同時高宗又寵愛蕭淑妃，對她是一天比一天冷淡，使得王皇后一籌莫展，十分氣惱。如今，聽說高宗對一個小尼姑有情，忽然之間，心生一計，何不藉此打擊蕭淑妃，殺一殺她的氣焰。

王皇后對自己的這個計策十分得意。馬上派人到感業寺去，命令武氏重新蓄起長髮。

等到武氏的頭髮長了，換下袈裟，穿上華麗的衣服，實在是美若天仙。王皇后愈看愈開心，心想這下子把蕭淑妃比下去了，歡天喜地把武氏帶入宮中。武氏爲人工巧聰慧，絕頂聰明，她當然明白皇后的用意。因此，盡量拉攏討好王皇后，在王皇后面前數說蕭淑妃的不是，並且再三表示爲王皇后叫屈。王皇后認爲武氏不但人長得漂亮，同時對自己忠心，竭力在唐高宗面前稱讚武氏。

武氏本來是高宗的夢中情人，原本以爲兩人今生無緣，沒想到竟然被王皇后弄進後宮。高宗心中眞是大喜過望，興奮得不曉得該用什麼話來形容才好。所以王皇后建議納武氏爲宮人之事，立刻被批准，拜爲昭儀。（唐朝制度，宮中后妃以下有三夫人和九嬪，九嬪依次爲昭儀、昭容、昭華、修儀、修容、修華、充儀、充容、充華。所以昭儀就是後宮的高級妃子。）

武氏爲并州文水（山西省文水縣）人，她的父親武士彠，以前是一個販賣木材的商人。他不但販賣現成的木材，同時聚集了數萬莖木材，建了一個大森林，發了一大筆財，他頗好交結四方人物。

唐高祖李淵，在隋朝末年擔任太原留守，路過文水時，就住在武士彠家中。武士彠是個投機商人，他不願意得罪隋朝政府，當然也與李淵等猛拉關係。

當李淵在太原起兵的前夕，高君雅（太原的副留守，也是隋煬帝派來監視李淵的人）看出其中有蹊蹺，因爲太原招募的新兵之中，怎麼竟有隋朝政府要追拿的亡命之徒劉弘基、長孫順德？

武士彠對高君雅及王威說：『劉弘基、長孫順德都是唐公（李淵）的賓客，如果你要查究他二人逃避征遼之事，恐怕會惹起大亂。』

高君雅及王威聽了勸告，雖然心中懷疑，卻沒有動手告發李淵。後來王威及高君雅，被李淵誣指爲勾結突厥而斬首。

當李淵大軍跨出山西，直入陝西，武士彠被李淵任命爲大將軍府鎧曹。攻克長安之後，武士彠獻媚的對李淵道：『我曾經做過一個夢，夢到大王騎著龍飛上天。』

李淵忍不住笑了起來道：『你本爲王威的黨羽，但是你能夠說服王威，不追究劉弘基逃兵之罪，這一點很可取，所以我要給你官做。你又何必編出這套荒誕的故事，用來取媚呢？』

武士彠娶過兩個妻子，第二個妻子，是隋朝觀王楊雄的姪女，兩人生下了三個女兒，被高宗立爲昭儀的武氏係是老二。

武氏十四歲時，因爲貌美爲太宗所知，被選入宮中，封爲才人。她入宮之後，有一天，有人進了一匹叫獅子璁的寶馬給唐太宗。唐太宗愛駿馬爲歷史上有名的佳話，可是這匹馬十分頑劣，誰也馴服不了，武才人毛遂自薦要試上一試。

太宗說：『你是一個弱女子，如何能夠駕馭此馬？』

武才人說：『只要陛下給我三樣東西即可，鞭子、鐵檛及匕首。我先用鞭子猛抽；不行，再用鐵檛敲頭；再不行，我用匕首割斷牠的喉嚨。』

太宗聽了此話，大爲佩服。不過，史書中沒有記載唐太宗是否喜愛武氏。沒有想到，到了高宗時代，武氏竟然可以翻身，飛上枝頭當鳳凰了。

閱讀心得

【第271篇】

武昭儀的女嬰。

武才人成爲了高宗的新寵——武昭儀之後，王皇后十分得意。可是她的高興沒有多久，馬上悔不當初。原來是：高宗雖然因此而冷落了王皇后的眼中釘蕭淑妃，可是，他把一顆心完完全全放在武昭儀的身上，對其他宮人不理不睬，其中也包括王皇后。

同時，武昭儀自從得到高宗的專寵之後，態度大變，不再對王皇后曲意巴結，而且頗有趾高氣昂的味道。

王皇后眞是氣壞了，而且此時的氣憤，較諸當時對蕭淑妃的妒忌更勝三分。於是，拉著蕭淑妃在高宗面前毀謗武昭儀，訴說她的不是。

可是，此時武昭儀已贏得高宗的全部信任，況且王皇后當初是媒人，說了不知道有多少籮筐武昭儀的好話。如今，王皇后與蕭淑妃的告狀，高宗非但一句話也聽不進去，更益發覺得此二人面目可憎，言語可厭。

武昭儀是一個工於心計的人，她小心觀察，凡是在宮中被王皇后所喜愛的人，必定傾心相交，收買人心。久而久之，王皇后的一舉一動，都在她的掌握之中。

永徽五年冬天，武昭儀生下一個漂亮的女嬰。王皇后前來探望，正巧武昭儀不在，王皇后把小女嬰抱在手上，捏著她的臉蛋，逗著她玩了好一

會兒才離去。

不久武昭儀回宮聽說王皇后來過之後，立刻跑到女兒房間，活活扼死了自己的嬰兒，然後用被子把屍體蒙上，躡手躡腳走出了房間。

一會兒，唐高宗前來探視，武昭儀仍然有說有笑的討高宗開心。接著，一塊兒前去看望剛生下不久的小寶寶。

等到高宗揭開被子，赫然發現小孩子已經被扼死了，死相極爲恐怖。武昭儀高聲痛哭，唐高宗大爲震怒。

高宗怒不可遏，高聲怒吼：『怎麼回事？』

左右的人嚇得直打哆嗦，異口同聲道：『皇后剛才來過。』『皇后殺了我的女兒！』高宗氣得一個字一個字迸出這句話之後，隨即派人找王皇后來問話。

王皇后跪在地上哭著喊冤，可是沒有人會相信她是無辜的。武昭儀在旁邊哭得上氣不接下氣，又有誰會想到她親手殺死了自己的女兒？

從此之後，唐高宗有意廢掉王皇后，改立武昭儀爲皇后。但是，廢后不是一件簡單的事，武昭儀得多費些心思安排一下。

第一個大阻礙，就是高宗的舅舅長孫無忌，高宗的得位仰賴長孫無忌的力爭。他又是元老重臣，一言九鼎。所以，高宗心中對長孫無忌一向十分忌憚。

高宗與武昭儀帶了十車的金寶繒錦拜訪長孫無忌，而且在宴席上當場把長孫無忌三個由寵姬生的兒子，任命爲朝散大夫，此時最小的兒子才十歲哩。

酒過三巡之後，唐高宗從容不迫的談到王皇后無子之事，暗示有意以武昭儀爲皇后。長孫無忌顧左右而言他，使得高宗相當不悅，卻又無可奈何。

武昭儀不死心，請了母親楊氏去長孫無忌府上說情。一連去了幾回，卻碰了一鼻子的灰。許敬宗爲著獻媚，亦三番兩次去勸長孫無忌，結果長孫無忌毫不客氣的把許敬宗訓了一頓。

有一個名叫李義府的中書舍人，向來被長孫無忌所嫌惡，乃被降官到壁州當司馬。敕書還沒有到門下省（隋唐時代中央政府最重要的機關爲三省：中書、門下、尚書。中書省草擬皇帝的命令，門下省審核命令，尚書省執行命令），李義府已經打聽了左遷的消息（左遷為官吏降級），他企圖挽回這個不幸的命運，去向中書舍人王德儉請教。

王德儉告訴他：『皇上想要立武昭儀為皇后，只是還猶豫不決，惟恐大臣各有異議，你如果能夠建議立武昭儀為皇后，則可轉禍為福。』

李義府立刻返家，絞盡腦汁寫成一篇奏章呈給皇帝，請求廢除皇后王氏，改立武昭儀，以滿足百姓們的心願。

唐高宗正愁不知如何啓齒，看到李義府的上書大為高興，馬上親自召見慰勉，賜珍珠一斗，同時留任舊職。

武昭儀又祕密派遣使者前去慰勞李義府，更在高宗面前耳語一番之後，李義府竟然升為中書侍郎。曾經前往長孫無忌跟前美言的許敬宗，也被任命爲禮部尚書。

永徽六年九月間，廢后之爭已成爲朝廷中人所矚目的大事。高宗立意已決，召見長孫無忌、李勣、于志寧、褚遂良等進入内殿。尚未入内殿之前，褚遂良說：『今天皇上召見，一定是爲著中宮廢立之事。皇上的態度如此堅決，違背他意思的必死無疑。太尉（指長孫無忌）是皇上的元舅，司徒（指李勣）爲國家的功臣，不可使皇帝有殺元舅及功臣的惡名。遂良起自草茅民間，也沒有汗馬功勞，且受先帝的顧託，如果我不挺身而出，以死爭之，何以見先帝於地下？』

閱讀心得

【第272篇】宮中不准養貓。

永徽六年九月裡，唐高宗召見長孫無忌、李勣、于志寧、褚遂良等大臣，商討廢掉王皇后，改立武昭儀爲皇后的事。

長孫無忌等一行人進入內殿之後，高宗清了一清喉嚨，直截了當的說：『皇后無子，武昭儀有子，今欲立昭儀爲皇后，何如？』

褚遂良抱著死諫的態度，正色道：『皇后乃名家之女，乃先帝爲陛下所娶。先帝臨崩之時，親自拉著臣的手對臣說：「朕的好兒子好媳婦都託付給你了。」這句話，陛下也是親耳聽見的。皇后未曾犯過大錯，豈可輕廢！臣不敢曲從陛下，也不敢上違先帝的顧命！』

褚遂良擡出太宗的遺言教訓高宗，高宗氣得發抖，可是又不便反駁，因爲太宗臨終前，確曾如此交代褚遂良。中國人最重孝道，何況是帝王之家，只有一怒之下罷朝。

第二天上朝，高宗又重提此事。褚遂良仍然直言上諫：『陛下如果一定要廢王皇后，也應該好好選擇一位天下大族名門之女，何必非要武氏。武氏曾經伺候過先帝，這是天下皆知之事，怎麼樣也不能掩蓋過去。如果立武氏爲后，萬代之後的人們，將會怎樣的笑話陛下，深願陛下三思。』

這番話尖銳又厲害，絲毫不留情面，一字字一句句直入要害。褚遂良

一口氣說完之後，將手上的笏（笏爲古代人臣上朝時手中所執的版子，用來書寫君王的命令以免遺忘），放在地上，解開頭巾叩頭流血道：『還陛下笏，請將臣放遣歸還故里。』

唐高宗認爲褚遂良存心揭他的瘡疤，不由得老羞成怒，立刻命令左右把褚遂良引開。

正在此時，躲在簾後的武昭儀被褚遂良罵得又氣又恨，大聲的說：『何不撲殺這個該死的老傢伙？』

長孫無忌叩了一個響頭：『遂良爲先帝的顧命大臣，即使有罪，也不許加刑。』

內殿中演變成這種難堪的局面，于志寧本來還想開口，也不敢再來多言了。

但是，還是有不怕死的大臣要講話，這就是中國傳統知識份子可愛的地方。他們有一種歷史責任感，寧可腦袋搬家，也要直言。

韓瑗流著眼淚向高宗上諫，高宗不聽。韓瑗又再次上諫，哭得滿面淚痕。高宗心煩極了，差人把他送出宮外。韓瑗不死心，又寫了上疏道：『匹夫匹婦，猶相選擇，何況貴爲天子，豈可不慎重？皇后母儀天下，善惡由她而起。所以，黃帝娶了醜女嫫母，嫫母能輔佐黃帝。殷王寵妲己，因而亡國。臣每次讀到詩經中所說的「赫赫宗周，褒姒滅之」，不由得掩卷太息，不料本朝亦將遭到女禍。』

另外一個不怕死的來濟也上書道：『王者立后，必擇禮教名家，幽雅令淑，例如漢成帝以婢女爲后，果然使社稷傾淪，皇統亡絕。』

此時，高宗一心一意想把武昭儀扶爲正位，對這些臣子們的上疏十分頭大。可是，一個好皇帝應該要接受臣子的上諫，他的父親唐太宗就是因爲納諫爲人們所稱揚。所以，高宗心中苦惱極了。

過了兩天，大將軍李勣入宮。唐高宗問他說：『朕欲立武昭儀爲皇后，褚遂良固執己見，以爲不可。褚遂良又是先帝的顧命大臣，這事情如何是好呢？』

李勣回答：『此乃陛下家務事，何必更問外人？』

其實，廢后立后爲朝廷大事，絕對不是高宗的家事。但是，李勣這麼一說，高宗把心一橫，作了歷史的決定，把武昭儀立爲皇后。

善於諂媚的許敬宗，更在朝廷上說：『在民間一個田舍翁，因爲多收十斛麥便更換妻子，都是常有的事，況且是天子立后，何必外人干預？』唐高宗益發覺得褚遂良多管閒事，可惡已極！當下，貶褚遂良為潭州都督。

永徽六年十月，乙卯，百官上表，請立中宮。皇帝下詔：『武氏門著勳庸，往以才能德行，選入後庭……德光蘭掖……可立爲皇后。』於是，武昭儀如願以償的當上皇后。

王皇后及蕭淑妃就被打入冷宮，加以囚禁。在十一月裡，有一天，高宗想起她們兩人，信步走到她倆住的地方，發現這間房子四處封閉，只有在牆壁上鑿有一個小孔，用來遞送食物，不由得十分感傷，低聲問道：『皇后淑妃在嗎？』

王氏隔著小孔哭著說：『妾等得罪宮婢，那兒還能得此皇后尊稱？』又說：『陛下如果還念舊情，使妾等再見日月，請將此院改名爲回心院。』意思是說：請高宗回心轉意。

高宗長嘆一口氣道：『你們放心，朕自有處置。』

武后聽說了這件事，派人把王皇后及蕭淑妃打了一百板，削斷她倆手足，然後丟入酒甕中。武后說：『讓這兩個老太婆骨醉吧。』過了幾天，她們兩人都死了。

蕭淑妃臨死前狠狠發咒：『阿武狡猾，願下輩子我爲貓，阿武爲鼠，生生世世扼她的喉嚨。』從此武后規定宮中不准養貓。武后做了虧心事，經常夢見王皇后蕭淑妃披髮瀝血變成鬼來找她報仇。所以武后多半住在洛陽，不太願意回長安居住。

閱讀心得

【第273篇】

御史王義方。

在上一篇〈宮中不准養貓〉之中，我們說到：唐高宗要立武昭儀爲皇后，遭到長孫無忌及褚遂良等老臣的反抗，結果李勣說了一句『這本爲陛下的家務事』，高宗終於把武昭儀擡上了皇后娘娘的位置。

爲什麼武氏當武昭儀沒有人反對，當皇后卻被群起而攻之呢？這是由於昭儀是衆多妃子之一，就像臣民的妾沒有法律地位，皇后卻是母儀天下的代表。她曾經伺候過唐太宗，父子二人，同娶一婦，畢竟不太合適。

此外，武后的出身不算好，雖然她的父親武士彠也在唐朝政府當過官，到底是個商人出身。何況我們曾一再提到過：從魏晉南北朝以來，門第觀念很重。唐太宗曾經極力壓制士家大族，這種觀念卻非一朝一夕可以改變。甚至太宗的大臣如魏徵、房玄齡、李勣等，雖然是素族出身，卻也要與一位舊士族的名門閨秀結婚，認爲這個樣子才夠面子。當今皇上如何能與門楣不高的素族女子結婚？難怪群臣都要反對了。

武昭儀順利的坐上皇后的位置之後，原先贊成發動此事的奸臣許敬宗和李義府更加囂張了。

當時，有一位洛州婦女淳于氏貌美如花，因爲犯了罪，被關在大理獄之中。李義府垂涎這名女犯的美色，暗中收買大理寺丞畢正義設法把淳于

氏給弄了出來，準備納之爲妾。

結果這件事被抖了出來，唐高宗命令劉仁軌審問畢正義，這一審問之下，李義府的醜事一定會抖露出來。因此，李義府逼著畢正義在牢中上吊。

唐高宗知道此事的來龍去脈，可是，念在李義府首先帶頭請立武昭儀爲皇后的份上，故意裝聾作啞，不聞不問。

有一位名叫王義方的御史知道這件事，有意彈劾李義府的不法行爲。雖然王義方知道李義府背後有皇帝撐腰，可是國家大法不可不顧，他還是要忠貞的執行御史的責任。

然而，王義方可以自己把命豁了出去，卻不能不擔心家中老母親的安危，何去何從，使得王義方非常苦惱。

於是，他來到母親跟前，嘆著氣說道：『孩兒身爲御史，今見奸臣，如不加以糾舉，則爲不忠；糾舉則身危而憂及於親，則爲不孝。忠孝二者，不能兩全，孩兒不知如何是好？』

王母是個深明大義的婦人，她親切的對王義方說：『你能盡忠事君，我死必不有恨。』

有了母親大人這番話，王義方勇氣十足提出彈劾，要求徹查畢正義離奇自殺命案，並且嚴懲李義府的不法行爲。

結果：唐高宗仍然偏袒撮合他與武后好事的李義府，對李義府納女犯爲妾一事不聞不問，反而按了王義方一個毀辱大臣，言辭不遜的罪，貶爲萊州司戶。

李義府因爲懂得獻媚，平步青雲，連犯了國家的大法，也有皇帝包庇。在此同時，當初反對冊立武昭儀爲皇后者，可就有罪受了。

大書法家褚遂良被貶爲潭州都督，剛剛到達任所，又被貶爲桂州都督；到了桂州，再次貶爲憂州刺史。褚遂良長途奔波，心力俱疲。上表給高宗，提到當初與長孫無忌共擁高宗的往事，哀哀乞憐。可是沒有用處，高宗對褚遂良懷恨在心，不理不睬，最後褚遂良鬱鬱而死。

在所有反對冊立武昭儀爲皇后的大臣之中，武后最恨長孫無忌，氣他收了重賜又不肯助一臂之力。

另外有個許敬宗，屢次自告奮勇去長孫無忌府上當說客，勸請長孫無忌回心轉意，結果每一次都被長孫無忌罵得狗血噴頭，狼狽奪門而出。所以，許敬宗也恨透了長孫無忌。

恰好在這個時刻，許敬宗出了一個紕漏，許敬宗審問犯人太子洗馬韋季方，問案問得太急，用刑過兇，韋季方受不住刑求，而自殺。這下子，許敬宗慘了。

於是，許敬宗編出一套謊言，說是長孫無忌勾結韋季方等人謀反，事跡敗露，所以韋季方自殺。這眞不愧爲一石二鳥之計。

唐高宗不相信，他吃驚的說：『豈有此理！舅舅被小人離間阻隔或許可能，那兒可能造反作亂？』

『不然，』許敬宗沉著的誣陷道：『臣從頭到尾，詳加推究，肯定他倆反相已露。陛下如果不相信，恐非國家之福。』

許敬宗一說，高宗就掉下了淚水說：『唉！我家門不幸，永徽三年房玄齡的兒子房遺愛與高陽公聯合造反。如今，我親舅舅也要作亂，眞使朕愧見天下人。』

許敬宗見高宗中計了，連忙又加油添醋：『房遺愛不過是乳臭未乾的小子，能起什麼作用？無忌與高祖先帝謀取天下，天下服其智，而且爲宰相三十年之久，天下畏其威。一旦作亂，誰能抵擋？臣見以前宇文述爲隋煬帝的親信，宇文述的兒子宇文化及是煬帝御林軍總管，結果，宇文化及殺掉了煬帝。前事不遠，祈望陛下速決之。』

高宗深以爲然，下詔削長孫無忌的太尉官職，降爲揚州都督，最後長孫無忌被迫自殺。長孫無忌地下有知，一定很後悔當初不該主張擁立高宗爲皇帝的。

長孫無忌與褚遂良均爲一代忠臣，卻因爲不能逢迎皇上落此下場，善於拍馬的李義府反而得勢。表面上看來，很不合乎『善有善報，惡有惡報』的明訓。不過，我們中國人向來不以成敗論英雄，因此忠臣永遠備受千秋萬世的歌頌，奸臣永遠受到後人的咒罵，這也是中國文化的精髓之所在。

武后剷除異己，逐漸取得政權。大唐帝國，又將走上另一條新的道路。

閱讀心得

【第274篇】

武后垂簾聽政。

武后終於如願當上皇后。雖然她的品德爲人們所非議，可是就事論事，武后不但聰明絕頂，才智過人，而且對文學歷史相當精通，也能提筆寫詩賦文章。在清朝編的《全唐詩》這部書中，收有武后所作的四十六首詩。

在唐高宗即位之初，有唐太宗遺留下來的長孫無忌、褚遂良、李勣等老臣共同輔政。政治上保持著安定繁榮，甚且完成了太宗未完成的武功，如西突厥的討伐、高麗百濟的征服等，因此人們稱之爲『永徽之治』（永徽是高宗第一個年號）。

經過了武后的立后之爭，長孫無忌、褚遂良等都被犧牲了。高宗本人無多大才能，而且又患了一種風眩症，經常頭昏腦脹。可能是高血壓，也可能是低血壓，從現在的史料之中，我們不知道他到底生了什麼病。

因爲這個緣故，再加上武后英明果斷，又有政治野心，所以該由皇帝批閱的有司奏章，經常由武后批閱處置。武后也有這個本領，把公事處理得井井有條，高宗也就樂得清閒。

武后對政務的權力野心愈來愈大，而且逐漸干涉起高宗的行動，使得高宗頗爲不悅。在高宗麟德元年，爆發了所謂的上官儀事件。

有一個道士郭行眞經常出入宮中，宦官王伏勝告發郭行眞受武后之

命，作法咒害高宗。

高宗大爲生氣，祕密召見西臺侍郎同東西臺三品上官儀討論這件事。上官儀回答：『皇后專擅恣肆，爲海內外所不贊成，請廢之。』

武后自從當了皇后之後，不再對高宗百依百順，而且高宗想要做任何事，都會受到挾制，使得他相當不耐煩，也想把武后給廢掉。立刻命令上官儀草擬奏章。

結果，高宗左右的人飛報武后。武后馬上趕了過來，找到了詔書的草稿，氣得臉上發青。高宗看到此景，又縮了回去，不敢再提廢后的事。

武后杏眼圓瞪，用充滿著疑問的眼光瞅著高宗，等著他如何解釋此事。高宗本來仁弱，害怕地低聲回答：『我本來沒有這個意思，都是上官儀教我的。』

高宗把責任推給了上官儀。武后大發雷霆的結果，上官儀父子都下獄處死。

從上官儀事件發生之後，武后認爲高宗不可靠，不曉得在背地裏搞些什麼。所以，每次高宗上朝，武后就端坐在珠簾之後聽政，國家大小之事，皆得與聞，天下大權，悉歸中宮。升降官吏，一切決於武后之口，高宗這個天子不過拱手而已（拱手的意思是兩隻手互相握著，放都放不下來，表示根本不做事）。中外併稱高宗、武后爲二聖。

上元元年，皇帝稱天皇，皇后稱天后，大赦天下。就在這一年，天后提出了十二項政治主張，例如：獎勵發展農業、蠶桑，減輕百姓的賦稅、徭役；由皇帝禁止浮華、淫巧；停止戰爭，廣開言路，讓大家對國事多提意見；提倡道教；規定父親如果健在，爲母親服喪三年；以及增加官吏的薪水。

就事論事，武后的政治主張相當不錯，而且她不只是喊喊口號，做個表面文章，她一步又一步把政治主張次第實現。

由於武后的表現出色，高宗又苦於風眩，上元二年，高宗有意把國事完全交給武后攝知。在重男輕女的古代，提出這種建議的確是駭人聽聞。在中國歷史之上，從來沒有一個天子把國事交付給皇后的先例。羣臣大爲恐慌，紛紛加以反對。

中書侍郎同三品郝處俊説：『天子理外，后理內，天子理陽道，后治陰德，為天地之間的常理。以前魏文帝時代規定，雖然幼主繼承皇位，仍然不許皇后臨朝，以杜禍亂之萌也。陛下奈何以高祖、太宗傳下來的皇位，不傳之子孫，而委託於天后呢？』

從史書上記載的郝處俊的這番話看來，唐高宗似乎不但有意把國事交給武后治理，連皇帝的寶座他也想讓給武后。既然羣臣堅決反對，也就作罷。

臣子們固然反對武后干政，事實上掌權的仍然還是武后。武后感到一些老臣對她不服，於是她開始不遺餘力的提拔新人。

前面我們說過，武后的立后之爭原因之一，是因為臣子們嫌她出身不佳，不是望族後代。所以她本人對於在魏晉南北朝以來，憑藉著門第華貴而能取得權位的政治措施，簡直就深惡痛絕。現在輪到她掌權了，她可要把這個政治措施修改一番。

武后把唐太宗倡導的科舉制度，又向前發展一步。偏重以詩賦文章取士，讓更多的寒門書生可以進入廟堂爲官。

武后命令著作郎元萬頃、左史劉褘之等，編著《列女傳》、《臣軌》、《玄覽》等書，大大重用這批新起的文人。凡是朝廷奏議、百官的表疏，多半找他們密商，以分擔宰相之權。當時的人稱這些個新貴爲北門學士（北門是後宮門，通常朝廷裏大臣上朝均走南門，而元萬頃等，不從正門出入，抄捷徑從後宮門上朝，所以稱爲北門學士）。

武后終於如願以償的取得政治大權。

閱讀心得

【第275篇】章懷太子李賢。

武后正式立爲皇后，也掌握了政治大權。當武后爲皇后之日，武后的長子李弘（唐高宗的第五個兒子）也順理成章被立爲皇太子。

李弘爲人仁愛謙謹，很得高宗的寵愛。高宗於咸亨二年前往東都洛陽，命李弘以太子留守京師長安。當時，關中鬧旱災，李弘命令兵士四下察看分發米糧，從這一點看來，可以證明李弘的宅心仁厚。

可是，李弘的好心腸卻爲他惹來了麻煩。先是武后推行新政，李弘是站在守舊派的士大夫的一邊，屢次上奏反對，使得武后相當不悅，母子間的感情出現裂痕。

後來，又出了一件大事。李弘偶然地發現蕭淑妃的兩個女兒義陽公主及宣城公主，因爲被蕭淑妃的罪所牽連，幽禁在後宮中，年過三十歲仍然沒有出嫁，李弘既驚訝又難過。於是奏請父親高宗，把這兩個異母的姊姊出嫁。高宗答應了。

當初因爲高宗寵愛蕭淑妃，引起王皇后的不滿，王皇后才從感業寺之中把正在做女尼的武后拉進了後宮，企圖打擊蕭淑妃。算起來，蕭淑妃還是武后的情敵，因此武后大怒。

據說，武后一方面把這兩個公主分別出降（公主結婚出嫁稱爲出降）

上翊衛權毅及王遂古兩人，一方面暗暗派人把李弘毒死了。關於李弘之死是一件千古疑案，《舊唐書》中僅僅記載他死了。《新唐書》中說他是被毒死。司馬光寫的《資治通鑑》之中則記載『時人以為天后酖之也』，意思是說，當時的人認爲這是天后（即武后）下的毒。

李弘是否死於武后之手，難下定論，不過，從武后對付李弘的弟弟李賢的手段來看，武后殺李弘大有可能。

李賢是武后所生的第二個兒子，太子李弘既死（年方二十四），雍王李賢遂被立爲太子，時爲上元二年六月間。

李賢也同樣爲高宗所喜愛，他在年紀很小的時候就熟讀尚書、禮記、論語等書及誦古詩賦十多篇。高宗曾經察問李賢的功課，發現他對論語極有心得。高宗這個做爸爸的十分得意，曾經在李勣面前，大大誇獎李賢『夙成聰敏』。

自從李賢被立爲太子之後，宮中不斷傳出極爲難聽的謠言，說李賢不是武后的親生兒子，而是高宗與武后的親姊姊韓國夫人生的兒子，由於韓國夫人沒有名分，才由武后認爲子。這個傳說使得李賢既尷尬又不安，既懷疑又害怕。

正在李賢擔心惹武后討厭之時，宮中出了一個道士明崇儼。他會施法作符咒，武后相當信任這個道士。

明崇儼曾經對武后說，太子李賢不配承繼皇位，又說，倒是英王（武后的第三個兒子）的相貌類似太宗，相王（武后的第四個兒子）的臉相長得好，總之就是太子不適合當大唐帝國的太子。李賢聽說這件事，內心七上八下，站也不是、坐也不是。

武后聽了明崇儼的話之後，曾經命令北門學士寫了一篇〈少陽正範〉（少陽爲東宮的位置，少陽正範即太子的楷模）與〈孝子傳〉賜給太子。這分明是斥責太子不孝順，太子李賢接到之後，更加忐忑難安。

高宗調露元年，道士明崇儼忽然被人所殺。武后下令徹查，查了半天，查不出一個所以然來。武后知道太子李賢恨明崇儼搬弄是非，遂認定這件案子必然是李賢主謀，有意對付李賢了。

李賢的爲人不如他哥哥李弘正派，他頗好聲色，與戶奴趙道生等狎習親暱，而且時常厚賜金帛。司議郎韋永慶上書諍諫之，李賢依然故我。武后知道這件事，馬上命令薛元超、裴炎及御史大夫高智同，會同法官一塊兒審問。

審問之下，户奴趙道生供出李賢派他去暗殺明崇儼。同時，在東宮之中又搜出幾百副黑色的鎧甲，正好作爲太子有意造反的證據，因爲如果不是準備造反，何必暗藏大批的軍事用品？

既然造反，沒有第二句話，只有死路一條。唐高宗剛剛死了一個兒子，實在不忍心再殺一個兒子，更何況李賢是他最疼愛的，遲疑了半天，有意原諒他這一回。

武后可不同意，她寒著臉說：『爲人子竟然懷有逆謀，天地所不容，大義滅親，何可赦也？』於是派遣右監門中郎將令狐智，把李賢押解到京師長安加以囚禁。

同時，東宮之中搜出的盔甲在天津橋南公開燒燬示衆。天津橋是唐朝經常用來公開斬首要犯的場所，表示此事嚴重，不可等閒視之。

後來，武后當上皇帝，成爲武則天之後，派了左金吾將軍丘神勣逼著李賢自殺，在睿宗朝代，追贈爲皇太子，謚曰章懷太子。章懷太子李賢一案是歷史上有名的一件大事。

武后確有治理國事的長才，不過她也相當心狠手辣，毫無骨肉恩情。不但李弘、李賢兩個兒子慘遭毒手，她的姊姊韓國夫人、她的族兄武唯良與武懷運、她的異母兄弟武元慶與武元爽，先後因不同原因被她害死。

閱讀心得

【第276篇】

唐高宗的風眩症。

太子李賢被廢以後，遂立武后的第三個兒子英王李哲爲太子，改名為李顯，大赦天下。

弘道元年十一月，唐高宗頭痛的毛病愈來愈嚴重，連眼睛都看不清楚了，召來御醫秦鳴鶴。御醫想了一個辦法，說是在高宗的頭上劃破一個洞流一點血就會減輕病情。不曉得這是不是民間所說的放血治病。

武后一聽御醫之言，板起了臉怒斥：『此可斬也，竟然敢在天子的頭上刺血。』

唐高宗深爲病魔所苦，他倒不認爲在頭上刺血是對君主的大不敬，搖搖手道：『讓他刺吧，說不定有用。』

秦御醫就用針刺了高宗腦上的兩個穴道，流出一些鮮血，唐高宗說：『我的眼睛好像看清楚一些了。』

武后立刻親自搬來了一百匹綵賜給秦御醫。

刺頭出血之後，好像病情好轉一些，但是，沒過幾天，高宗更加虛弱了，沒法子上朝，宰相也見不到高宗的面。

十二月，大赦天下，高宗想要騎馬到天門樓當衆宣佈這個消息，可是胸膈之間有股氣堵住無法上馬，只好宣召百姓入殿宣佈。此時已病入膏肓。

當天夜晚，高宗召見大臣裴炎入宮接受遺詔輔政，遺詔中曰『太子柩前即位，軍國大事有不決者，兼取天后進上。』意思是說，太子李顯在靈柩之前就任大唐帝國的皇位。軍國大事有不能決定的事，可聽天后的意思。高宗於這天夜晚崩於貞觀殿，享年五十六歲，在位三十四年，此時的武后大概是六十一歲。

於是，太子正式即位，是爲唐中宗。改元嗣聖，大赦天下。

中宗即位以後，立刻立太子妃韋氏爲后，擢拔韋后的父親韋玄貞從普州参軍升爲豫州刺史。

由於中宗與韋后夫妻感情很好，他還想進一步把岳父大人升爲侍中，這也就罷了，最荒唐的是中宗又授他奶媽的兒子爲五品要員。

接受遺詔輔政的裴炎大不以爲然，急忙上諫，中宗不理會，而且生氣的說：『我就是把天下完全送給韋玄貞也沒有什麼不可以的，何況只不過是一個小小的侍中。』

裴炎大爲吃驚，立刻飛報武后，武后乍聞之下，連臉色都變了。她心想中宗即位不過兩個月，就幹出這樣昏庸的事，日久天長，以後更不知如何。

過了不到一個月，有一天，武后突然之間在乾元殿召集百官，然後裴炎與中書侍郎劉禕之、羽林將軍程務挺、張虔勗一起勒兵入宮，宣太后令，廢中宗爲盧陵王。

中宗做夢也沒有料到有此一著，他不服氣地抗辯道：『我何罪？』

『你要把天下拱手讓給韋玄貞，竟敢說無罪？』武后厲聲地指責。接著，把盧陵王幽禁在別所，後來又改徙居在房州。

這一個青天霹靂，使得中宗領教了他母親的心狠手辣，簡直是嚇破了膽。因此，被廢之後的中宗成天提心弔膽，惶惶不可終日。尤其每一次聽說武后從京裏派使者到房州來，他就認定是太后派人送毒藥來逼他自殺。

『那還不如我自己先了斷吧。』說著，中宗就準備自殺。韋皇后總是勸他：『不要這個樣子，人生道路總是禍福相倚的。』幸好每次來的使者都不是來送毒藥的，否則中宗的自殺就是白死了。由於他二人共嘗艱危，情義甚篤，所以中宗時常對韋后說：『假使我有朝一日重見天日，你要做任何事我都會答應你。』因爲中宗有此承諾，以後又引出一段故事，這是後話，此處暫且不提。

既然中宗被廢爲廬陵王，國不可一日無君，武后便立她的第四個兒子相王李旦爲皇帝，是爲唐睿宗。

武后是一個政治型的女人，權力慾望很強，她一直想找一個毫無政治野心的兒子受她擺佈。前面三個李弘、李賢、李顯都不理想，所以不是被殺，就是被她給廢了。如今的睿宗，沒有什麼政治慾望，爲人謙讓，武后大爲高興。

因此，睿宗只是一個傀儡皇帝，大小政務都不管。一切大權，牢牢掌握在武后一人手中。

武后掌權，朝中老一輩的大臣都不能心服，連武后一手提拔的北門學士劉褘之也在問，爲何武后不還政睿宗。

朝中有人希望睿宗主政，也有一批人主張盧陵王（中宗）復位。反正不贊成由武后掌權。

有一天，有十幾個飛騎在坊曲喝酒。飛騎是太宗在貞觀十六年所創設的，分爲左右飛騎，駐在玄武門，在皇帝出巡之時充當侍衛。坊曲是妓院，唐朝的文人雅士，很喜歡在坊曲聚會，許多詩人的作品都在坊曲之中寫成。有一個飛騎多喝了兩盅老酒，發了幾句牢騷：『最近所得的賞賜太少，還不如改奉盧陵王復位。』

其中有個飛騎一聞此言，悄悄地溜出了坊曲，從北門前往告密。於是，當這夥飛騎正在酒酣耳熱，猜拳行令，羽林軍已把坊曲層層密密包圍，全體飛騎落網下獄。說話大嘴的那個飛騎當場立斬，其餘者以知情不報的罪名，統統處以絞刑，密報者升爲五品官。

飛騎的事件立刻傳遍各地，人們對武后手段之厲害，不得不另眼相看，同時，這個事件也挑起了告密之風，爲社會帶來一陣腥風血雨。

閱讀心得

【第277篇】駱賓王寫『討武后檄文』。

唐高宗在當了三十四年的傀儡皇帝之後去世。中宗即位後，不到兩個月，就被武后廢爲盧陵王，流放於房州。另立幼子李旦爲皇帝，是爲睿宗。睿宗是一個沒有政治野心的人，而且他前面幾個哥哥的下場也使得他膽戰心驚，深深了解母親毫無骨肉之情。所以睿宗雖然爲天子，大權卻操在武后之手。

由於李家的子孫，都不合武后的心意，她就開始重用娘家的人，例如武三思、武崇訓、武承嗣等。

武承嗣是武后的姪兒。他請求武后追贈武家的祖先，建立一個武氏七廟。武后認爲這是一個很好的建議。

老臣裴炎不贊成，他上殿奏曰：『太后母臨天下，當示大公無私，不可對所親偏私，難道不見呂氏之敗乎？』（呂氏指的是漢高祖時代的呂后）

武后冷笑道：『呂后以權委託於活著的呂家人，所以最後失敗了。我不過追尊逝去的祖先，又有什麼關係？』

裴炎在地上叩了一個響頭道：『事當防微杜漸，不能滋長成爲風氣。』

武后根本不理會裴炎，不多久，追贈了許多武氏先人。從五代祖起，一直到父親武士彠，一律封爲王公。

由於武家的勢力一天比一天雄厚，使得唐朝的李家子弟頗爲不滿。剛好此時大將軍李勣（即爲徐世勣，又名李世勣，李姓爲唐朝政府賜給的，『世』爲避唐太宗李世民諱而去除的）的孫子眉州刺史徐敬業被貶爲柳州司馬，他的弟弟徐敬猷免官，給事中唐之奇貶爲括蒼令，長安主簿駱賓王被貶爲臨海丞。這些人在揚州相會，彼此搖頭嘆息，內心充滿了怨恨及不滿。

大夥共推徐敬業爲首領起兵，在短短十日之間召集了十多萬兵馬，並且由駱賓王草擬檄文，討伐武后。

駱賓王所寫的這篇《爲徐敬業討武曌檄》氣魄萬千，把武后罵得狗血淋頭，是千古流傳的有名文字。一開頭就斥責武后：『僞臨朝武氏者，人非和順，地實寒微。』罵她：以前是太宗的才人，到了太宗晚年，穢亂東宮（指高宗），使得太宗與高宗與禽獸一般共一女子。又曰：『殺姊屠兄，弒君鴆母，人神之所同嫉，天地之所不容……』

這篇檄文罵得痛快，天下傳誦。有人急忙拿給武后看，原以爲武后看了，一定暴跳如雷。沒想到她一面讀，一面微笑，好像在欣賞一篇好文章。等到武后看到『一抔之土未乾，六尺之孤何託？』（意思是說，唐高宗墳上一抔黃土尚未乾，他所遺留下來的太子中宗到那兒去了呢？被武后廢爲廬陵王，幽禁在房州。）她轉過頭問道：『這篇檄文是誰寫的？』

『駱賓王。』底下的人應聲答道。

左右並且告訴武后，駱賓王的作品以豪俠英俊著名。他與王勃、楊炯、盧照鄰號稱爲四大才子（我們今天稱此四人爲初唐四傑）。

武后嘆了一口氣道：『有才如此，使之流落不遇，此宰相之過也。』在這篇檄文之中，武后受盡唾罵侮辱，卻惋惜沒有重用駱賓王，可見得她的愛才之心，以及超人一等的胸襟。

徐敬業爲著擴大宣傳效果，徵求長得像太子李賢的人（李賢是武后第二個兒子，因爲謀反被武后殺掉），然後，徐敬業欺騙百姓道：『賢沒有死，仍然活在人間，我們就是奉了他的命令起事的。』希望藉此號召人心。

爲著討伐徐敬業，武后找了裴炎前來問計。裴炎對徐敬業爲亂，似乎不以爲意，也沒有急著去討平，反而對武后說：『皇帝（睿宗）年長，不親政事，所以卑賤無知的小人會以此爲藉口起事，如果太后還政，亂事不討自平矣。』

這番話說得很不動聽，武后頗為不悅。監察御史了解武后具有強烈的政治慾，所以上奏曰：『裴炎受先皇顧託，大權在己，他如果不是別有意圖，為何要請太后歸政？』

武后拿著這個奏章，把裴炎逮捕下獄。

有人勸裴炎在問案時，儘量謙遜，也許能免得一場禍事。

裴炎不肯答應，他自認為是接受高宗遺詔輔政的老臣，依舊辭色不屈。而且他深深了解，這場禍事可不是求情可以逃得掉的，裴炎對朋友說：『宰相下獄，豈有生還之理。』

鳳閣侍郎胡元範等保證裴炎不會造反，聯合上奏：『炎社稷元臣，有功於國，悉心奉上，天下所知，臣敢證明他不會造反。』

武后回答：『炎有造反的徵兆，只是你們不知道。』

『如果連裴炎也會造反，臣等亦能謀反。』胡元範等不服氣道。

武后肯定的說：『朕知裴炎反，但也知道卿等不會反。』

朝廷中有許多臣子聯合證明裴炎不會謀反，可是武后還是把裴炎殺了。裴炎死後被抄家，家中竟抄不出一石米，可見其為官之清廉。

閱讀心得

【第278篇】請君入甕。

徐敬業不滿武后，在揚州起兵。駱賓王並且寫了一篇傳誦千古的檄文，暴露武后的罪狀。徐敬業起兵不過三個月，就被武后派出的大將李孝逸完全平定。徐敬業被部下所殺，餘黨也均被蕩平。

亂事平定之後，垂拱二年春天正月，武后下詔，還歸政事於皇帝睿宗。睿宗知道母親大人又是故作姿態，他再三謙讓，太后再次臨朝稱制。

自從徐敬業起兵，武后爲了鎮壓反叛，開始採取高壓的恐怖政策，大開告密之門。在三月間，有一個叫魚保家的上書武后，請求用銅鑄一個告密匭，分爲四隔，各有竅門，告密的信只可投入，旁人無法拿出。

魚保家是一個很有手藝的巧匠，所以他製造的告密匭很合武后的心意，當時的人稱之爲魚家匭。魚家匭啓用後沒有多久，魚保家的仇人就投了一封告密信，信上說魚保家曾經爲徐敬業打造刀車及弩。

武后立刻派兵搜查魚宅，魚保家被捕伏誅，沒有料到自個兒先被魚家匭所害。

自徐敬業之亂，武后了解朝廷之中宗室對她不滿，頗有怨懟，有意大殺特殺以樹立威權，因此大開告密之門。

凡有人告密，臣子不得過問內情，朝廷供給車馬，以及相當於五品官

員的膳食。即使是農人樵夫，武后也親自接見，還在客館之中，好好接待這些告密者。

假使告密者所密告的是確有其事，武后立刻賜官。假使是誣告，也不被處分。在這樣的情形之下，四方告密者蜂起，為官者人人自危。

有一個胡人叫索元禮，摸清武后的心理，前去告密。被武后賞識，拔擢為游擊將軍，掌管獄訟之事。

索元禮生性殘忍，每審判一人，必牽累數十百人。武后很欣賞他的作風，數次予以親自召見，以擴張索元禮的權勢。

由於索元禮的得寵，使得周興、來俊臣等起而效尤。周興被升為秋官侍郎，來俊臣則官至御史中丞。

來俊臣對於如何羅織下過一番研究工夫。羅織就是陷人於罪的意思，他還與黨徒朱南山合起來寫了一本書叫做『告密羅織經』一卷。來俊臣如果想誣陷某人，就在各個不同地方告發某人的罪狀，所有告密者舉發的事情都是一樣，同時在告密信中並且加上一句：『請付來俊臣推勘，必獲實情』。如此網『羅』無辜，『織』成罪狀，即所謂羅織。

他審判犯人，有一套獨門功夫。不論囚犯情節輕重，先用酸醋灌鼻孔，再關入大牢，或者裝在一個大碗裏面，四周用火燒烤，並且不給犯人吃任何東西。有的囚犯實在餓得不能忍受，只好把衣服撕破嚼棉絮充飢。

此外，犯人身旁，必定堆了許多糞便，臭不可聞，除非一死，否則只有忍受非人待遇。

來俊臣與索元禮互切互磋，共同研究，製作了十種殘酷的刑法：一爲定百脈、二爲喘不得、三爲突地吼、四爲著即承、五爲失魂膽、六爲實同反、七爲反是實、八爲死豬愁、九爲求即死、十爲求破家。所謂死豬愁等到底是如何折磨人，不可考。不過光聽這些名稱就叫人害怕了。

中國菜經常有一些好聽的名稱，例如全家福、百鳥朝鳳等。來俊臣把他發明的刑罰加了許多好聽的名稱，例如：把犯人的手腳綁起來，四周倒轉，稱之爲『鳳凰曬翅』——像是鳳凰在曬翅膀；或者命犯人跪下，捧著刑具，上面再一塊一塊的加甎塊，稱之爲『仙人獻果』，可見得來俊臣這人有虐待狂。

凡是被來俊臣逮住的人，無論貴賤，一入大門已膽戰心驚。然後，來俊臣把枷棒往地上一摔，惡眼一瞪：『看，這就是刑具。』犯人早已魂飛膽喪。尤其久聞來俊臣的閻王惡名，往往不等審問，馬上跪地求饒，承認有罪，也不管到底有沒有犯案。

由於來俊臣會問案子，凡是他問案，沒有不畫押承認的，所以武后特別在宮中的『麗景門』中設置一個推事院，專門供他問案之用，也稱之爲『新開門』。由於一入新開門，等於進入太平間，所以有人稱之爲『例竟門』，這兒的『竟』做盡、完結解，也就是說進入此門者，照例皆要完蛋。

因爲武后重用酷吏，所以酷吏們不斷研究，改進更爲不人道的刑罰。武后知道這些酷吏可不是什麼好東西，也只是把他們視之爲工具，利用價值一完，酷吏也難逃一劫。

其中最有名的一件案子，是在天授二年，酷吏周興被人告發與丘神勣謀反，武后派來俊臣審問這個案子。兩人相見，皮笑肉不笑的寒暄了半天，面對面同桌共食（唐朝的官吏在衙署內辦公時，在中午及晚間，都由官家供給膳食），互相敬酒。

來俊臣嘆了一口氣道：『唉，最近囚犯都不肯承認，不知如何是好？』

周興立刻面有得色道：『很容易嘛，你先準備一個大甕，然後把犯人放入，四周燒炭火，還怕他不肯承認？』

來俊臣馬上找來一個大甕，四周燒著旺火，對周興說：『有人告發你，請兄入此甕。』

周興比任何人都了解這一招的恐怖，馬上叩頭伏罪。他想以此害人，反而被害，這就是成語『請君入甕』的由來，形容以其人之道還治其人之身。

閱讀心得

【第279篇】

不識字的御史。

武后爲了鎭壓反叛，採取恐怖政策，大開告密之門，以高官厚賞獎勵告密者。同時任用索元禮、周興、來俊臣等酷吏，用種種不仁道的酷刑與羅織方法來對付異己。

鳳閣侍郎同鳳閣鸞堂三品劉禕之，因爲曾經對鳳閣舍人賈大隱說過：『太后既然廢去昏君（中宗），擁立明君（睿宗），爲什麼還要蒞臨朝廷發號施令？不如仍迎中宗復位，以定天下人心。』

沒有想到賈大隱竟然悄悄去告了密。武后勃然大怒，對左右說：『禕之乃我一手提拔，竟然敢背叛我。』

武后身旁的人，看她動了肝火，於是落井下石，說劉禕之拿了歸誠州都督孫萬榮的賄賂，又說劉禕之與許敬宗的侍妾有染。武后就命令肅州刺史王本立爲審判官。

睿宗爲劉禕之向武后說情，旁人對劉禕之說：『這下好了，皇帝說情，你有救了。』親戚朋友紛紛向劉禕之道賀。劉禕之愁容滿面地苦笑：『這是加速我的死啊。』果然，不久賜死於家。

即使是討平徐敬業的大將李孝逸，武后也不放過，他的罪名很可笑。有人誣告李孝逸，說他曾經自誇：『我的名字逸，逸中有一個兔字，兔是

月亮中的月兔，月既近天，應該當天子。』就為了這一個莫名其妙的原因，流放儋州而死。

武后的姪兒武承嗣為著討好姑母，找人刻了一塊白玉上面刻著『聖母臨人，帝業永昌』八個字。然後，讓一個雍州人唐同泰捧著這塊玉石去見太后，說這塊寫了字的玉是在洛水發現的，表示上天顯靈，才有此徵兆。

武后得到這塊玉石，十分高興。把這塊石頭取了一個名字叫『寶圖』，拔擢獻玉的唐同泰為游擊將軍，並且命洛水改名為『永昌洛水』，禁止人們在這條神聖的水旁釣魚。更改嵩山為神嶽，並且大赦天下。

唐朝諸王看在眼中，心裏更加惶恐不安。武后對祥瑞如此重視，豈不表示她想當皇帝，這還了得嗎？於是握有兵權的唐王室，有意發動政變。

首先通州刺史李譔，寫了一封信給越王李貞，信上說：『我內人的病一天比一天嚴重，應當要馬上治療，假使過了今年冬天還不治療，將成爲無法治療的痼疾。』意思是說，假使不馬上有所行動，唐朝天下將落入武后之手，想造反也不可能了。

正在此時，武后建造的明堂落成，召集唐宗室朝明堂。諸王都非常驚恐，互相告誡道：『完了，太后必趁此時，使人告密，我皇家子弟，將無遺種。』

李譔情急之下，偽造了睿宗的璽書給李沖說：『朕遭到幽錮囚縶，諸王請趕快發兵救我。』李沖又偽造睿宗璽書說：『神皇欲移李氏社稷，以授武氏。』在博州起兵，並且分告韓王、霍王、越王等於洛陽會師。

但是李沖起兵不久，立刻被神皇（即武后）的大軍殲滅。因爲失敗得太快，諸王還沒來得及響應，戲已下臺。

經過這場戰爭，武后對李家人益發不信任，大開殺戒。唐朝宗室幾乎被殺光，剩下的也都流配嶺南，同時，武后益發地重用酷吏。

有一個以賣餅爲業的無賴侯思止，曾經因爲告密被武后拔擢爲游擊將軍。侯思止的胃口很大，他想要當御史。

武后冷笑道：『你不認識字，怎能當御史？』

侯思止不慌不忙的回答：『獬豸又那裏識字，還不是可以用角去撞壞人。』

原來，據說在東北有一種奇怪的野獸叫獬豸，牠頭上有一隻尖銳的角，性情忠直。如果牠看到兩個人在打鬥，牠就用角去抵那個壞人。如果牠看到兩個人在爭論，牠會跑到不講理的人面前怒吼。天下那可能有這種事？

武后認爲侯思止的話有道理，眞的就任命他爲朝散大夫、侍御史。過了一段日子，武后把沒收來的房宅賜給侯思止，侯思止不肯接受，他說：『臣厭惡反叛的人，他們的房子我不要住。』

這話一說，武后對侯思止更加欣賞。

由於連侯思止這種目不識丁者也能當御史，朝廷之中人人自危。在路上遇見也不敢多交談，每天早上上朝前與家人抱頭痛哭，互相訣別道：『不知還能相見否？』

天授元年，東魏國寺的僧人獻大雲經給武后。經上說『太后乃彌勒佛下生，當代唐爲閻浮提主』，佛家中說入世稱之爲『閻浮提』，武后把大雲經頒行天下。

在九月間，侍御史傅遊藝率領關中百姓九百餘人上表，請求改國號爲周，賜皇帝姓武氏。

武后不好意思接受，沒有答應。但是把傅遊藝的官升到了給事中，表示獎勵。在這種欲迎還拒的暗示之下，文武百官、帝室宗戚、遠近百姓、四夷酋長，甚且和尚道士，一共六萬多人都上表請求，正如同傅遊藝請求一般。

睿宗看看苗頭不對，也跟著上表，自請賜姓武氏。太后即位爲皇帝，上尊號爲神聖皇帝，國號爲周，自己改名爲武曌，成爲中國歷史上唯一的女皇帝。睿宗退位以後，武后命他為『皇嗣』，就是皇位繼承人的意思。後代史家，不肯接受這個事實，堅持唐朝未曾中斷，其實，唐朝之中，確實有一段周朝。

閱讀心得

【第280篇】狄仁傑的棉衣。

在上兩篇之中，我們講了許多武后用酷吏對付異己的故事。在這兒要說明一下，武后用酷吏對付的是被她視爲假想敵的臣子，不是一般老百姓。在武后當政的四十多年的歲月之中，唐朝百姓的生活倒是十分安樂。

睿宗是武后擁立的傀儡皇帝，雖然他沒有什麼政治野心，武后還是不很放心。有一次少府監裴匪躬、內侍范雲仙兩人偷偷私謁睿宗，被武后知道了，此二人均被腰斬。而且從此以後，凡公卿以下官吏，一律不許去見睿宗，免得他們與睿宗合謀。

儘管如此，依舊有人密告，指皇嗣睿宗有不軌的行動，武后特派酷吏來俊臣審問。前面〈請君入甕〉之中說過，來俊臣是個殺人不眨眼，專會動大刑的恐怖人物，睿宗身旁的人都十分懼怕。

其中一個在太常寺當工人的安金藏一躍而出，對著來俊臣說：『我可以證明皇嗣沒有謀反意圖！』安金藏看看來俊臣沒有表示，又氣急敗壞地高聲叫道：『你不信金藏之言，請剖心以明皇嗣不反。』

說著，安金藏舉起佩刀對著胸膛劃下去，五臟並出，流血滿地，他躺在地上不能動彈。

立刻，有人飛報武后。武后派人用轎子把安金藏擡回宮中，命御醫把

他的五臟裝回去，再加以縫合，敷上藥。過了一個晚上，安金藏又活了回去。可見得中國古代的開刀手術挺高明的。

武后親自前往探望安金藏，對他的赤膽忠心十分佩服。而且很慚愧自己不相信兒子，還要一個工人自剖明志。從此之後，武后不再對睿宗起疑心。

武后的朝廷雖然法網嚴密，但是她處理政治很有一手，能夠起用人才，必要之時，也能虛心接受臣下的批評。其中最得武后信任的是狄仁傑，武后尊稱他爲國老。

狄仁傑是太原人，祖父曾在貞觀年間擔任尚書左丞，父親曾任長史。狄仁傑小時候讀書非常專心。有一次，鄰人被殺害，縣吏前來問案，大家都七嘴八舌的在提意見，只有狄仁傑仍然坐在桌前，埋首於書本之中。

縣吏很不高興地指責他，狄仁傑昂頭回答：『黃卷之中，聖賢備在，我還來不及接對聖賢，那裏有時間應付俗吏！』

後來他中了舉人，擔任汴州判佐，不久又改任并州都督府法曹。他不但對自己的雙親十分孝順，更有老吾老以及人之老的美德。

狄仁傑的一個同事鄭崇質，被任命出使遠方。狄仁傑對他說：『太夫人的病相當危險，你怎麼可以遠使？』於是他去拜見藺仁基長史，請求代替鄭崇質遠行。

此後，狄仁傑又在高宗朝廷裏擔任大理丞。一年之中解決了一萬七千件懸而未決的案子，大家都認爲他審判得很公平。當時，武衛大將軍權善才因爲誤砍了唐太宗昭陵墳上的柏樹，狄仁傑上奏說權善才該罪當免職，高宗用御筆改爲『即誅之』——馬上處死刑。

狄仁傑再次上奏：『罪不當死。』

高宗變了臉色道：『善才砍陵上樹，使我不孝，必須殺之。』

左右的人悄悄拉了狄仁傑的衣袖，暗示他可以告退了，狄仁傑還是不肯。他正色地表示：『今天陛下因爲昭陵一株柏樹，殺掉一個將軍，千秋萬世之後，人們將怎樣看陛下？所以臣不敢奉制殺善才，以免陷陛下於不道。』

高宗仔細的想了一想，接受了狄仁傑的意見，善才因而免死。過了數日，高宗授狄仁傑爲侍御史。

後來，在武后天授二年，轉任地官侍郎，判尚書，同鳳鸞臺平章事。

武后問他：『你在汝南時候，很有政績，不過也有人在暗中破壞你，說你的壞話，你想知道是誰嗎？』

狄仁傑謝過武后，然後從容道：『陛下假使以爲臣有過，臣當改之，陛下明白臣無過，臣之幸也，臣不想知道是誰在破壞臣之名譽。』

狄仁傑的寬厚，使武后大爲嘆服。可是不久，來俊臣誣告狄仁傑造反。來俊臣還沒有動大刑，狄仁傑已一口承認。

判官王德壽對狄仁傑說：『尚書必定可以逃過一死，可否請求尚書把案子牽連到楊執榮身上。』

狄仁傑不解道：『怎樣牽累？』

『很簡單，就說尚書爲春官時，楊執榮爲司員外，不就可以了嗎？』王德壽胸有成竹答道。

狄仁傑長長嘆了一口氣，痛苦地呻吟道：『皇天在上，后土在下，怎麼要仁傑做這種傷天害理的事？』說著用頭猛撞柱子，鮮血流了一臉，把王德壽嚇壞了，也不敢逼了。

因爲狄仁傑很爽快地承認謀反，來俊臣的看守比較鬆弛。狄仁傑就寫了一封信，藏在衣服的棉絮之中，對王德壽說：『天氣太熱了，請把衣服交給我家人，把棉絮打掉。』

狄仁傑的兒子在棉衣中找到信，前去求見武后。武后找來來俊臣來問話。來俊臣說：『仁傑在獄中仍然不免冠帶，住得相當舒服，假使沒有圖謀不軌，何必認罪。』

然後，來俊臣把狄仁傑打扮起來，讓武后的使者回去報告，表示狄仁傑確實沒有受到虐待。更爲狄仁傑假造了一張謝死表（古時，大臣被皇帝賜死，還要叩謝皇恩浩蕩，上表致謝）。

武后把狄仁傑召來詢問：『你爲什麼要承認造反？』

狄仁傑回答：『如果不承認，早已死在鞭笞之下。』

『那你又爲什麼要寫謝死表？』武后再問。

對質的結果，發現狄仁傑根本沒有寫過謝死表，也沒有謀反，武后知道狄仁傑不是她的敵人，從此對他十分禮遇，予以重用。

閱讀心得

【第281篇】

婁師德唾面自乾。

老臣狄仁傑險些被酷吏來俊臣害死。幸虧他的機智，才撿回一條性命。被來俊臣陷害的，何止狄仁傑一人。他仗著有勢力，不但貪污，而且愛美色。只要士民妻妾有殊色者，來俊臣就有辦法弄上手。他通常是先派人誣告，然後假稱敕旨，納爲己有。前前後後，多得不可勝計。

到了後來，來俊臣膽子愈來愈大，竟然告發武家的人及太平公主。太平公主是最受武后疼愛的女兒，武后對自己的兒子心狠手辣，可是對這個長得像自己的女兒寶貝得要命（關於太平公主的故事，我們以後再詳細講）。同時，來俊臣又告發睿宗，以及被廢爲廬陵王的中宗，企圖一網打盡，然後盜取國權。

結果，諸武及太平公主一塊兒告發來俊臣不法，來俊臣被關入大牢之中。經過審問，來俊臣被處死刑。

王及善面奏武后：『俊臣兇惡狡猾貪心暴虐，是國家最大的惡人，不去之，必動搖朝廷。』

武后到苑中遊玩，大臣吉頊爲她執著馬韁，順便聊聊外面的情況。吉頊說：『大家都在奇怪有關來俊臣的奏章爲什麼還不下來？』

武后沉吟了一會兒，慢慢地說：『俊臣有功於國，朕方思之。』

吉頊大不以爲然的頂撞道：『俊臣誣構良善，贓賄如山，冤魂塞路，國之賊也，何足惜哉？』

武后這才痛下決心，問斬來俊臣。當來俊臣被處死刑的那天，市場上擠滿了被他陷害的仇家，爭著吃他的肉。肉吃完了，抉眼剝面，披腹挖心，一會兒工夫，只剩下一堆爛泥。

武后了解人們對來俊臣是恨之入骨，遂下詔書細數來俊臣的罪惡，並且說：『應該滅他的族以雪天下蒼生之憤怒。』

來俊臣死後，士民們在道路上互相慶賀道：『從今以後，晚上可以好好睡一覺了。』

除了酷吏之外，武后最爲人非議之處，是她和古代一般帝王一般，蓄有寵妾，當然她的內寵是男的。這些男妾的官名是內供奉，其中以張易之、張昌宗兩兄弟最得她的歡心。

史書上說這兩兄弟年少，美姿容，善解音律，而且與女人一般傅朱粉，衣錦繡，大家都捧著這兩個小白臉。有一次楊再思邀請公卿宴會，酒酣耳熱之際，衆人都誇張昌宗貌美，並且說：『六郎面似蓮花。』

楊再思搖搖頭說：『不然。』

張昌宗有點不開心，用詢問的眼光盯著楊再思。

楊再思乃慢條斯理道：『乃蓮花似六郎也。』眞是馬屁拍到家了。

武后雖然有男寵，不過，她公私分明。她有一個寵愛的嬖幸薛懷義是個小人，恃寵而驕，被宰相蘇良嗣給摑了耳光。

薛懷義鼻青眼腫地跑到武后跟前哭訴，武后只說了一句：『朝堂是宰相往來的地方，下回不去也就是了。』

武后當權的數十年中，社會安定。天授元年，親策試貢士於洛城殿，鄉貢的科目很多，主要有秀才、明經、進士等科。因爲武后本人極爲喜愛文史，所以特別重視進士科，同時，進士科的考試成爲完全著重於文章。自從弘道元年稱帝之後，朝中主要官吏，無不由文比進身，因此造成舉國雅好文墨的風氣，唐朝的文風鼎盛也與此有關係。

另一方面，武后也有納諫的雅量，凡是大臣上諫，她都溫言慰納，並且加重賞賜，所以許多正人君子都樂意爲朝廷効命。例如，魏元忠以公正著稱，狄仁傑以忠厚著稱，武后對狄仁傑十分看重，常常稱呼他爲『國老』。

狄仁傑引用的姚崇、張柬之、桓彥範、敬暉，都是歷史上有名的賢臣。

起初，狄仁傑還沒有入相時，有一位以謹愼小心著名的婁師德，曾經向武后推薦狄仁傑的才能。等到狄仁傑當了宰相，他並不知道是誰推薦的。可是，不知怎麼回事，狄仁傑對婁師德老是看不順眼，時常想排擠婁師德。

有一天，武后拿出婁師德推薦狄仁傑的舊奏章給他看，並且告訴他『婁師德人前人後都在誇獎你。』

狄仁傑一聽，滿臉緋紅，慚愧萬分，再三地說：『吾不及婁公遠矣。』對婁師德的寬厚大爲讚佩，從此兩人成爲好朋友。

事實上，婁師德的氣度大是有名，他與李明德每天同時上朝，因爲他身體肥胖，不免行動遲緩。李明德等得不耐煩，氣得破口大罵：『田舍夫。』婁師德也不生氣，反而笑著說：『對，師德不爲田舍夫，誰是田舍夫？』唐朝人罵人喜歡用田舍夫，意思是粗裏粗氣的鄉巴佬。

他有一個弟弟要去代州當刺史，臨行前，婁師德對他弟弟說：『我備位宰相，如今你又爲州牧，我們當如何避免被人妒忌？』

弟弟想了一想說：『今後有人朝我臉上吐口水，我也不發怒，只默默地洗臉擦乾淨。』

『不成，人家朝你吐口水，你拭乾了，是違背人家的意思，會讓他更憤怒；你應該笑而受之，令面自乾。』婁師德教訓道。這就是成語『唾面自乾』的由來，形容忍辱容人。唾面自乾，未免有些過分。但武后朝中有這些正士，難怪國富民安。

閱讀心得

【第282篇】

武承嗣的皇帝夢。

自從武后建立了周朝以後，武家的人在朝廷裏是威風八面。其中最有勢力的，應該算是武承嗣了。

武承嗣是武后哥哥武元爽的兒子，算起來是武后的親姪兒。他一直巴望著武后能把皇位傳給他，又不方便自己開口請求。於是，在天授二年，慫恿洛陽人王慶之率領了數百民衆上表，請求立武承嗣爲太子。

文昌右相，同鸞臺鳳閣三品岑長倩，馬上反對。並且義正辭嚴地上陳，皇嗣（指睿宗）在東宮，不宜有此奏議，奏請嚴切斥責上書的一干人。岑長倩得罪了武家，不久被派去打吐蕃，還沒到達吐蕃，又給徵召回來。最後，被誣謀反而處死。

王慶之蒙獲武后召見，武后問他：『皇嗣是我的兒子，奈何廢之？』『今天是誰據有天下？怎麼可以以李氏爲皇嗣？』王慶之仍在幫武承嗣的忙。

武后不發一言，命王慶之出殿。沒料到他趴在地上撒賴，不肯走。哭著喊著要求立武承嗣爲太子，否則將要去自殺。

王慶之的哭鬧，惹得武后不悅。因爲趕他不走，武后拿了一張紙給王慶之，對他說：『以後要見我，拿著這張來就是了。』

從此之後，王慶之一而再、再而三上殿吵鬧。因爲萬一武后決定了以武承嗣爲皇嗣，那麼，王慶之可是大功一件，所以他不厭其煩前來求見。

有一次，王慶之又來了。武后煩透了，命令鳳閣侍郎李昭德用大板子打王慶之一頓。李昭德把王慶之帶到光政門外面，對著朝士們說：『此賊欲廢我皇嗣，立武承嗣。』然後，毫不客氣地命撲擊王慶之。左右開弓的結果，王慶之的耳朵眼睛都大量出血，最後活活被打死了。外面那羣跟著王慶之前來的啦啦隊，聽說王慶之被打死，立刻作鳥獸散。

李昭德杖殺王慶之以後，上奏武后曰：『天皇（指高宗）爲陛下的丈夫，皇嗣（指睿宗）爲陛下的兒子。陛下身有天下，當傳之子孫，爲萬代之基業，怎麼可以以姪兒爲皇嗣呢？自古未聞姪兒爲天子，而爲姑立廟也。』

李昭德的意思是説：武承嗣是武后的姪兒，如果他承繼皇位，那麼在宗廟（宗廟即民間祠堂）之中不會供奉武后。因爲嫁出去的女兒，是潑出去的水，武后已嫁到李家，當然不是武家的人了。

過了沒有多久，李昭德又偷偷地對武后説：『魏王承嗣權太重。』

武后道：『他是我的姪兒，我當然拿他當心腹。』

『姪兒對姑姑的關係，難道會比兒子對父親還要親密嗎？太子還有殺掉父皇的呢，何況只是個姪兒。今天承嗣旣爲陛下的姪兒，爲親王，又爲宰相，權力與天子一般大，臣恐怕陛下不能久安於天子之位噢。』李昭德從容不迫地訴説一番。

李昭德説得武后頗爲動容，眉毛一挑道：『哦，這一點我倒還沒有想到過。』

武承嗣聽說李昭德在講他的壞話，也趕快跑到武后面前毀謗李昭德。武后本來就是一個政治權力慾極強的女人，而且疑心病很重。加上李昭德言之有理，歷朝歷代爲著爭皇位，父子反目成仇多的是，區區一個姪兒又有什麼地方值得信任？

所以，武后不理會武承嗣。並且說了叫武承嗣頗爲傷心的話：『我信任昭德，有他在，吾始安眠。他代我分勞，你就不必多說了。』

雖然碰了一鼻子灰，武承嗣依然不灰心，想要當皇嗣做天子，多吃點兒苦也應該。不久，武承嗣獻上一座天樞。高有一百零五尺，四周用銅做了蟠龍麒麟圍繞，上爲騰雲，旁邊還有四條龍向上昂首，吐出的火珠有一丈之高，武后自己在榜額旁題上『大同萬國頌德天樞』。

武承嗣千方百計討好姑母，可是武后依然舉棋不定，不知道應不應該立武承嗣爲太子。老臣狄仁傑從容不迫地勸武后道：『太宗櫛風沐雨，親冒鋒鏑（箭鏃）之險，以定天下，傳之子孫，高宗將兩個兒子（中宗、睿宗）託付給陛下，現在陛下要把李家天下傳給武家，恐怕不是先帝的意思。而且姑姪與母子，那一種關係比較親近？陛下把皇位傳給兒子，則陛下千秋萬歲之後，仍然在太廟（即宗廟，皇帝祭祀祖先的祠堂）中受到祭拜，如果立姪兒爲皇嗣，那有聽說過姪兒在太廟中拜姑母的呢？』

中國人一向對自己身後的事十分在乎，武后曾經當了皇帝，她可不甘心在歷史上被抹殺，更不願意在太廟之中少了牌位。但是口中仍說：『此朕家務事，卿勿干預。』

狄仁傑又說：『君臣一體，何況臣備位宰相，豈得不預知？』同時更勸武后把流放在房州的中宗召回來。

過了幾天，武后清晨對狄仁傑說：『朕昨晚夢見一隻鸚鵡，兩隻翅膀都打斷了，這是什麼意思？』

狄仁傑爲武后解夢道：『武是陛下的姓，所以鸚鵡就是陛下，兩翼是兩個兒子，陛下起復兩個兒子，則兩翼振矣。』

從此以後，武后打消了立武家人爲太子的念頭。因此，有些史家認爲，此乃狄仁傑對唐朝最大的貢獻，使李家天下能延續下去。武承嗣的皇帝夢，只是南柯一夢，空歡喜一場，心情大受打擊，怏怏不樂，沒有多久魂歸西天。此時皇嗣（睿宗），堅持把太子位讓給哥哥（中宗），武后也答應了。

閱讀心得

【第283篇】

老年才俊張柬之。

狄仁傑雖然曾經被武后視之爲假想敵，可是在弄清楚眞相之後，武后對他是信任有加，直稱之爲國老。

有一天，武后問狄仁傑道：『朕欲得一奇士，卿爲朕推薦一人。』狄仁傑稍微思索一下回答道：『陛下如求文章資歷，蘇味道與李嶠足可入選。倘若要拔卓越奇才，唯有荊州長史張柬之可用之。』武后立刻拔擢其爲洛州司馬。

過了沒有多久，武后又要求狄仁傑保舉人才。狄仁傑道：『臣前薦張柬之，尚未擢用之。』

『朕已陞遷他爲洛州司馬了。』

狄仁傑搖搖頭道：『柬之爲宰相才，非司馬也。』

遂再將張柬之升爲秋官侍郎。當狄仁傑在聖曆三年去世，武后傷心痛哭道：『天奪我國老，何太早邪？』於是聽從狄仁傑的話，起用張柬之爲宰相。這個時候的張柬之已經八十高壽，可稱得上是一位老年才俊。

狄仁傑死了，武后也風燭殘年，垂垂老矣。長年居住在長生殿之中，一連幾個月不見宰相，只有張易之、張昌宗在旁伺候湯藥。

張易之、張昌宗此兩兄弟，無啥本領，只是貌美如花，爲武后所寵愛。

眼看武后氣若游絲，很擔心萬一武后昇天，後果堪虞。因此在外樹立黨羽，以求自固。

朝廷裏裏外外，看不慣這兩兄弟的人很多。崔玄暐就曾經上奏武后：『皇太子仁明孝友，足以侍奉湯藥，宮禁事重，伏願不令異姓出入。』所謂異姓指的就是張氏兄弟。

此時，無頭帖子滿街飛，都在謠傳『易之兄弟謀反』。武后沒有加以理會。

許州人楊元嗣又告發張昌宗，說是張昌宗曾經召見術士李弘泰看相，李弘泰說『昌宗有天子相』，勸張昌宗在定州造佛寺，『則天下歸心』。事關謀逆，武后不能不審判，派了三位官員審案。其中御史中丞宋璟，最爲激烈，他嚴厲地說：『若昌宗不處以極刑，何必要有國法？』

審判還沒有告一個段落，武后已把張昌宗特赦，宋璟很失望，嘆息道：『不先擊此小子腦袋，乃終生遺恨也。』武后命張昌宗去拜謝宋璟，宋璟氣得不肯接見。

武后的健康一天不如一天，張易之、張昌宗居中用事，使得唐朝的老臣很不放心。以宰相張柬之爲首的五個人，準備祕密殺掉這兩兄弟，擁護中宗復位。中宗答應了這件計謀。

於是，張柬之、崔玄暐、桓彥範及左威衛將軍薛思行等，率領左右羽林軍五百名，浩浩蕩蕩來到了玄武門。派遣李多祚及駙馬都尉王同皎，一起前往東宮迎接太子。

太子（中宗）生性懦弱，提不起，放不下，事到臨頭，又開始猶豫不決。尤其他心想，自己已爲太子，武后即將駕崩，又何必多事搞一場政變？武家勢力也許不會影響到他即皇帝位。所以中宗有意打退堂鼓，三請四催仍然不肯出來。

王同皎向前道：『先帝（指高宗）以國家神器付託殿下，橫遭幽廢，人神同憤已達二十三年之久。如今羽林諸將與宰相，同心協力，以誅兇惡之豎子，恢復李氏社稷，願殿下前往玄武門，以符衆望。』

中宗爲什麼被廢？大家還記得嗎？

中宗看王同皎等人殺氣騰騰的樣子，更加畏懼不前，期期艾艾道：『兇豎固然應該夷平消滅，然而聖上身體不適，怎可能不爲此而驚駭？希望諸公多加考慮。』

李湛看中宗畏首畏尾的模樣，說了一句重話：『我們諸將相不顧家族的生命，爲唐朝的社稷而殉難，難道說殿下要置我們於死地嗎？請殿下趕快出來吧。』

這番話的意思是說，政變既然已經開始，就不可能收回，假使就此罷手，所有參與者，以及家族都會爲此而被判死刑。

中宗知道他們是非幹不可了，只好萬分不情願地走了出來。王同皎扶抱太子上馬，『的達的達』一羣馬隊開到了玄武門，進入武后所居住的迎仙宮。

張柬之等逮到了張易之、張昌宗，當場在廊下就把他們斬成兩半。

一羣人闖入了武后的寢宮長生殿，一時之間，環繞侍衛。武后吃驚地從床上坐了起來，不開心地問：『是什麼人在作亂？』

一干人馬跪在地上回答：『張易之、張昌宗謀反，臣等奉太子令誅之。恐有洩密，不敢上奏，在宮中舉兵，罪該萬死。』

兩張人已死了，武后也沒法挽救，她冷冷瞅了一眼跪在地上的中宗道：『二小子既已伏誅，你可以回東宮去了。』

桓彥範在旁道：『當年天皇以愛子付陛下，今太子年齒已長，久居東宮，且天意人心久思李氏，羣臣不忘太宗高宗之德，願陛下傳位太子，以順天下之望。』

武后生氣地對崔玄暐說：『你是我一手提拔的，怎麼和他們在一起？』

『這正是我報答陛下大德最好的辦法。』崔玄暐答道。

八二高齡的武后不想放手政權，可是她實在老了、病了、累了。她已經失去了對政治的控制力，想不退位也不成了。

閱讀心得

【第284篇】

韋后想學武則天。

武后病重，老臣張柬之利用這個機會，發動政變，迎中宗復位，恢復了唐朝的國號。

中宗復位以後，尊稱母親大人爲『武則天大聖皇帝』，所以歷史上稱武后爲武則天。不久，她便去世了，她一共做了十五年皇帝（西元六九〇—七〇五）。如果從武后稱制開始（西元六八四）算起，則武后專政共二十年。如果自高宗顯慶四年（西元六五九）武后以皇后身分干政算起，則武后掌權前後長達四十六年之久。

中宗是一個昏庸又懦弱的皇帝。他第一次當皇帝時，就要把宰相職位給岳父韋玄貞，又要授奶媽之子爲五品要員。甚且說把皇位給了岳父，也沒有什麼不可以的，足可見其荒唐。

當中宗被武后廢爲盧陵王，貶到房州之後，內心極爲害怕。每次武后派人到房州，他就嚇得屁滾尿流，認爲武后準備賜他死，著急得準備先行自殺。韋后總是安慰他，叫他不要太恐懼。

中宗很感激韋后的體貼，所以不止一次拉著韋后的手道：『假使我有一天重見天日，我發誓你要做什麼我都讓你做。』如今，中宗果然復位了，他要實現他的諾言，讓韋后爲所欲爲。

韋后也是一個有政治野心的人，雖然武則天把他夫妻二人整得死去活來，在房州過了二十年艱難的歲月。可是韋后生平最佩服的人就是武則天，而且處處以她爲榜樣。

於是，當韋后再次爲皇后，她便效法武則天當年輔助高宗一般，干預朝政。

唐朝的百官都大吃一驚，剛剛死了一個武則天，怎麼又來了一個韋后。因此桓彥範上表：『伏見陛下每臨朝，皇后必垂簾坐在殿上，預聞政事，臣竊觀自古帝王，沒有與婦人共政而不破國亡身者，伏願陛下以蒼生爲念，令皇后專居中宮。』

中宗心中想的是當年在房州時，他夫妻二人『艱苦備嘗，情愛彌篤』

的恩恩愛愛，根本不理會桓彥範的上表。

當中宗第一回當皇帝時曾封韋后的父親爲宰相，現在再度掌政，韋玄貞已死，更追封韋玄貞爲上洛王，韋后的母親崔氏爲妃。

左拾遺賈虛己上書，說：『異姓不得爲王，古今通制，今日唐朝中興，百姓正仰著頭觀陛下之德政。結果第一件事竟是封后族，恐怕不是廣大道德美政的辦法，不如請皇后堅持不肯接受，讓天下人知道皇后有謙沖美德。』

韋后才不想要什麼謙沖的美德，她寧可要死去的父親，追加一個王爵封號。

韋后一共生了一個兒子、四個女兒；兒子重潤因爲講張昌宗、張易之的壞話，被武則天賜死。四個女兒之中老么安樂公主最爲得寵，她是在房州生下的，呱呱墜地時，中宗親自脫下衣服，把這個小女嬰裹著，抱在懷裏，所以安樂公主小名叫裹兒。夫妻二人對她是寵愛得不得了，就差沒有把天上的月亮摘來讓她玩。

中宗雖由張柬之等人擁立復位，可是中宗認爲自己是太子，遲早會當上天子，用不著發動政變，所以對張柬之等人發動政變、恢復唐朝並不見得感激。反而重用武則天的姪兒武三思。武三思曾經對人說過：『我不知道世間上什麼人是善人，什麼人是惡人。凡是對我好的，就是善人，對我壞的，則爲惡人。』

根據武三思的看法，張柬之等五人當然是惡人了。所以他奏請中宗把張柬之流配瀧州、崔玄暐流配古州、敬暉流配瓊州、桓彥範流配瀼州、袁恕己流配環州。這五家子弟凡年滿十六歲者，皆流嶺表。最後，除了張柬之、崔玄暐病死之外，其他三人都被武三思用殘酷的手法害死。

武三思害了張柬之等人後，自己佈置新的爪牙，當時的人稱他五個新的耳目為五狗。

中宗既然信任武三思，就把最得寵的安樂公主嫁給了武三思的兒子——武崇訓，封爲駙馬都尉、左衛將軍。

安樂公主頗有乃母韋后之風，很有政治野心。她一心一意想當皇太女，將來和武則天一樣，做一個女皇帝，所以她對太子李重俊恨之入骨。

李重俊是唐中宗和妃子所生，韋后視之爲眼中釘。她和安樂公主，以及公主駙馬武崇訓經常欺負太子，甚且直接稱他爲奴。

太子重俊一再受到侮辱，忍無可忍。他聯絡了左羽林大將軍李多祚等，以迅雷不及掩耳的方式，發動政變。攻入武三思的府第之中，殺了武三思，以及其子武崇訓。

唐中宗帶著韋后、安樂公主等登上玄武門的門樓以避兵鋒，並且急忙調派兵將守衛。

太子及李多祚的軍隊困在玄武門下，無法進入宮中。這時，中宗在玄武門上靠著廊檻俯下對著千騎們宣告：『汝輩皆爲朕之宿衛之士，奈何跟從李多祚造反？若能斬造反者，還愁得不到榮華富貴嗎？』

這句話說得有道理，頃刻之間，千騎倒戈（軍隊叛變，自相攻殺稱爲倒戈）斬李多祚。太子倉皇而逃，在樹林下小憩時，被左右殺了，持首級獻於京師。

於是，中宗拿著兒子重俊的腦袋，祭拜武三思、武崇訓。父子之間為著奪權，竟然如此相殘，令人嘆息。

閱讀心得

【第285篇】安樂公主賣官。

安樂公主是中宗被貶爲廬陵王時，由均州遷房州時，韋后在途中生下來的女兒，深得唐中宗的喜愛。安樂公主便仗著父親的寵愛而驕縱跋扈，目中無人，連太子重俊都受到她的當眾凌辱。最後，太子重俊忍無可忍，舉兵起事，殺掉了武三思及安樂公主的駙馬武崇訓。

太子重俊的亂事馬上被平定了。安樂公主對於丈夫的被殺，並沒有太過悲傷。因爲在武崇訓沒有死以前，她已愛上了武延秀——武承嗣的第二個兒子。

武延秀是個美男子，風采翩翩，會講突厥話，曾數度參加安樂公主的宴會。在宴會中唱突厥歌、跳胡族舞，搶盡風頭，很得安樂公主的好感。因此，武崇訓過世之後，安樂公主改嫁給武延秀。大婚之日，用皇后的儀仗，分遣禁兵盛陳威儀，熱鬧非凡。婚後，中宗授武延秀太常卿兼右衛將軍。

安樂公主和她的姊姊長寧公主比富。兩人爭著建造府第，看一看誰更奢侈、誰更豪華。她們兩位公主的宅第，不但比得上皇宮，甚且比皇宮更加精巧。

安樂公主為著要壓倒長寧公主，要修一個遊湖的昆明池。中宗沒有答

應，因爲昆明池中魚蝦太多，許多漁民賴以爲生。

安樂公主受到了挫折，大發嬌嗔，萬分不悅。搶了許多民田，開了一個新湖，並且在湖中安置許多假石，看來就像華山，她把這座新池命名爲定昆池，意思是勝過昆明池。

除了房舍侈麗，佈置豪華要與長寧公主別苗頭以外，當然，打扮裝飾更是非暗中較量不可的。據說，安樂公主有一件漂亮的裙子，值一億錢之多。上頭的織工之美，令人嘆爲觀止，無論花卉鳥獸都像一粒粟子般細緻。更奇妙的是，這件裙子的花色，正著看，旁著看，在日光之下，在陰影之中，都有不同的顏色。這種別出心裁的服裝設計，恐怕今天的巴黎時裝設計師，也要瞠乎其後。

安樂公主的生活浪費，開銷很大，她想到一個賺錢的辦法，那就是賣官。想做官而沒有資格做官的人可以送錢給她，她根據錢的多少，分別任官。

在這兒，我們先簡單說明一下唐朝一般任命官吏的程序。依照規定，一品到五品是較高級的官吏，都由宰相提名，請皇帝任命。五品以下，六品到九品較爲低級的官吏，則由吏部來提名。把要派任的官職徵求被任命者的同意，同意以後，吏部用紅筆把將被任命的各種資料寫在一份公文上，然後，送到門下省去。

門下省的官員仔細審核被任命者的資格是否符合規定（例如姓名、年齡、籍貫有無錯誤，有沒有考試及格，過去經歷如何，以及依照那一條法令的規定來任官等等），審核通過以後，呈報皇帝，請皇帝發給『告身』（類似今日公務員的任命狀），被任命者拿著『告身』就可以去上任了。

安樂公主出賣的官職當然是較爲低級的官位。她用墨筆寫了任命某人做某某官，然後把內容遮蓋起來，讓中宗在命令的末尾簽名。

中宗說：『讓我看一看這道命令寫些什麼？』

安樂公主一扭腰，撒嬌地道：『不要嘛，只要你簽字就好了。』

中宗這個糊塗皇帝，竟然笑一笑就簽了字，命令的內容是什麼就不管了。在這種情形下，一些屠沽之輩，花個三十萬錢，也能買一個官位（屠是屠夫，沽是賣酒的，古人用屠沽表示執賤業者）。

由於安樂公主假造的皇帝命令用墨筆所寫（通常皇帝用紅筆），稱爲墨敕（敕，就是皇帝的命令），然後把墨敕裝在信封裏，信封的口斜斜地封起來，送交給吏部。

這種『黑敕』沒有經過任官的正當手續（由吏部提名，經門下省的審核），當然是不合法的。所以當時的人嘲笑那些人用錢去買『斜封官』。在京師長安，這種斜封官有好幾千人，其實根本沒有工作可做，可以稱得上是名副其實的黑官，弄得政府一塌糊塗，政風十分敗壞。

安樂公主如此，她的母親韋后更是淫亂，朝廷上下的臣子都深爲不滿，許州司兵參軍燕欽融上言：『皇后淫亂，干預國政，宗族強盛，安樂公主、武延秀圖危宗社。』中宗雖然沒有追查這件事，神情卻不大自然，韋后及其黨羽開始坐立不安。

閱讀心得

【第286篇】

太平公主的婚姻。

中宗的皇后韋后想學武則天，很有政治野心。中宗因爲很愛韋后，也就讓她爲所欲爲。

漸漸地，中宗對韋后的作爲有些不滿，他倆的掌上明珠安樂公主，也想有朝一日能當女皇帝，一心巴望著能做皇太女。於是韋后與安樂公主母女合謀，勾結著御醫馬秦客買毒藥，又勾結著大廚師把毒藥摻在餅中，中宗吃了餅，糊裏糊塗命歸西天。

韋后想要效法武則天，篡奪唐朝，成爲韋家天下，但是因爲顧忌著相王，遲遲未發。

相王就是曾經當過皇嗣的睿宗，武則天第四個兒子，因爲對皇帝沒有興趣，把太子位讓給了中宗，改封爲相王。

相王本人十分窩囊，可是他有一個兒子李隆基，年少果敢，與太平公主合謀，發動政變殺了韋后與安樂公主，擁護睿宗復位。

太平公主是武則天的女兒，武則天害死親生兒子李弘、李賢，可是對太平公主卻十分寵愛。據說是因爲太平公主體態豐碩，額頭方方的，臉頰寬寬的，長得很像武則天，善於運用權略也正像武則天。因此，武則天對她百般疼愛。

開耀元年，吐蕃請求和親，希望能娶到太平公主。武則天捨不得寶貝女兒去蠻貊之地受苦，又不想得罪吐蕃。她就建了一座太平觀，讓太平公主當觀主，於是，太平公主出家當了女道士，也因此謝絕這門婚事。觀就是道觀，唐朝有許多女道士。

從這次事件之後，武則天開始積極地爲太平公主找一個駙馬爺。千挑萬選，選中了光祿卿薛耀的兒子薛紹，薛紹的母親乃唐太宗的女兒城陽公主也，算得上是顯赫之家。

唐朝人不喜歡娶公主進門。有一齣很有名的戲劇叫『打金枝』，裏面就是描述代宗的女兒昇平公主嫁給大將郭子儀的兒子郭曖。昇平公主十分驕縱，不肯去向公婆拜壽，最後郭曖氣不過，把公主狠狠揍了一頓。

『打金枝』雖然只是一齣戲，不過，由此可以反映出當時社會一般想法，認爲娶公主爲妻是件可懼之事。尤其唐代的公主多半品德敗壞，男朋友甚多，更使得人們敬鬼神而遠之。

太平公主結婚的那一天，張燈結綵，吹吹打打，熱鬧非凡，開道的火炬擠滿了自大明宮與安門，一直到宣陽坊的路上。火炬之旺竟然把兩旁夾路的樹木都燒死了。

駙馬爺薛紹的哥哥薛顗看到太平公主進門的場面，心中暗叫『不好』，悄悄地找了戶部郎中薛克構商量。

薛克構先是說：『只要大家恭敬謹慎，娶了一個公主也沒怎樣。』繼而又長嘆一口氣道：『然而俗諺說得好：「娶婦得公主，無事取官府。」

不得不讓人害怕噢！』說罷兩人愁眼相對。

『娶婦得公主，無事取官府。』這句話的意思是說，娶了一個公主當媳婦，就算沒有事官府也會找上門來。中國古人最怕與衙門扯上關係，因此認爲大不吉利。

薛顗的擔心果然應驗了。武則天嫌薛顗的妻子蕭氏，以及駙馬爺的弟弟薛緒的妻子成氏，兩人都不是貴族，應該休妻。親家母武則天的理由是『我女兒怎麼可以和田舍夫的女兒爲妯娌呢？』田舍夫是唐朝人罵人的常用語，意思是粗裏粗氣的鄉巴佬，我們在前面曾一再解釋過。

幸虧有人出來打圓場，舉出蕭氏是太宗名臣蕭瑀的後人，蕭瑀的兒子蕭銳娶太宗女襄城公主，應該算是國家舊姻，武則天才勉強收回成命。

因爲太平公主嫁給薛紹，幾乎引起薛氏兄弟婚姻之破裂，可見娶公主將構成家族的大威脅。

後來，到了垂拱年間，薛紹的哥哥薛顗與瑯琊王李沖合謀起兵造反。兵敗之後，薛顗及弟弟薛緒都坐斬。按照道理，駙馬薛紹也該一併問斬，但是因爲他是太平公主的夫壻，免去了殺頭之罪，結結實實打了一百棍，餓死在大牢之中。

薛紹死了以後，武則天又在爲太平公主的新對象發愁。

在這兒，我們要打岔一句，或許有讀者奇怪，太平公主貴爲公主，豈可事二夫？事實上古人所謂『餓死事小，失節事大』是在宋朝以後的事。在唐代，婦女再嫁並非羞恥之事，再嫁公主並無受到社會或者夫家輕視的記載。例如上篇介紹的安樂公主，也是初嫁武崇訓，再嫁武延秀。

再嫁並不失節，不過，武則天的手段有些毒辣。她看上了姪兒武攸暨。偏偏武攸暨又是有妻子的，一不做，二不休，武則天派人把他妻子殺死了，然後與太平公主成親。

太平公主父親爲高宗皇帝，母親爲武后，丈夫封爲親王，兒子被封爲郡王，她可是貴盛到達了極點。

閱讀心得

【第287篇】姑侄之爭。

武則天的女兒太平公主方額廣頤，很像武則天。又性情沉敏，足智多謀，武則天以爲『頗有乃母之風』，百般寵愛。

太平公主對於母親大人晚年寵愛張易之、張昌宗深爲不滿，參與老臣張柬之謀誅二張的事件。所以中宗復位以後，中宗的皇后韋后，女兒安樂公主儘管跋扈，都畏忌太平公主。

後來，太平公主又與睿宗之子李隆基聯合發動政變，消滅韋后。甚至，睿宗當皇帝也是太平公主一手主持。故自睿宗即位以後，太平公主權傾中外，聲勢日盛。

由於武則天權位慾甚強，不惜殺害親生骨肉，睿宗對於妹妹太平公主的這份手足之情，看得比一般人更珍貴。即位以後，凡是重要事，都要與太平公主商量。

太平公主每上朝奏事，總是坐一會兒就走。有的時候，乾脆不上朝，宰相只好移樽就教，轉到太平公主的府中相談。

宰相若想要偷懶不去都不成。因爲睿宗一定會問：『與太平商議過嗎？與三郎（三郎就是李隆基，排行第三，稱之爲三郎）討論過嗎？』

只要是太平公主的意思，睿宗這個做哥哥的，幾乎沒有不照辦的。所

以從宰相以下官位的進退黜陟，就看太平公主一句話。想要在昇官圖中往前進一步者，自然爭先恐後巴結巴結。

太平公主的兒子薛崇行、崇敏、崇簡皆封爲王。公主的田園遍於近郊。府中的玩器，都是遠自嶺南、巴蜀千里迢迢的購來，而且不斷還有人將新的器物，絡繹不斷運來孝敬，她的一切生活起居，與宮廷毫無異樣。

睿宗即位以後，按照舊例，應該立長子宋王李成器爲太子，可是李隆基又建有大功，猶疑半天不能決定。

宋王李成器看到父皇苦惱的神情，上前奏稱：『國家安定時應該以嫡長子爲先，國家危難時應以立大功者爲太子，否則將四海失望。』爲著表明不爲太子的決心，李成器一連哭了好幾天。其他大臣也紛紛表示應由李隆基做爲太子。最後，睿宗遂立李隆基爲太子，李隆基固辭，睿宗下詔不准。

太平公主原先看不起李隆基，視之爲少不更事的毛孩子，漸漸地發現他相當英武，不是庸碌之輩。惟恐李隆基當皇帝以後，自己的權勢就要削弱。想要另外找一個太子。果眞是『頗有乃母之風』。

於是，太平公主派人到處放謠言『太子不是長子，不該立爲太子』，並且派出許多耳目，覘伺李隆基的一舉一動，一點點芝麻大的小事，太平公主都要知道得很詳細。太子李隆基周圍左右，幾乎全都是太平公主的密探，使得李隆基坐立不安。

太平公主與益州長史竇懷貞等結爲朋黨，準備不利於太子。並且邀請宰相前來，公開地表示要換太子之事。宰相宋璟大吃一驚道：『東宮有大功於天下，眞宗廟社稷之主，公主爲什麼忽然有這樣的意見？』

宋璟離開公主府第，愈想愈覺得不對勁，上奏睿宗：『太平公主挑撥離間，將使東宮不安，請求將太平公主以及諸王前往東都安置。』

『不成！』睿宗陰下臉來道：『朕沒有其他兄弟姊妹，只有太平公主這一個妹妹，怎麼可以遠遠地把她放到東都去呢？』

睿宗景雲元年二月，睿宗召集三品以上的官員道：『朕素來恬泊，不以做天子爲貴，以前爲皇嗣時，皆辭不受，今欲傳位給太子，你們看如何？』

睿宗說自己素懷淡泊，這句話倒沒錯。當初武則天就是看上他沒有政治野心，才立他爲太子，以後他又把太子位讓給了中宗。所以如今想讓位了，倒也是眞心話。

一些個依附太平公主的臣子立刻反對，上奏曰：『陛下春秋（年齡）未高，方爲四海所依仰，豈可讓位。』

太平公主眼見大勢不妙，爲著要激起睿宗對太子的不滿，又再次暗遣術士對睿宗進言道：『皇帝的星座及太子的星座，最近兩天都有明顯的變化，顯示皇太子當爲天子。』

不料，太平公主弄巧反拙，睿宗聽此一言後，下定決心地道：『我將傳位給有德的人遠避災禍，我的志向已經決定了。』

太平公主及其黨羽大吃一驚，力諫反對，以爲不可。睿宗堅決地表示：『以前中宗之時，群姦用事，天上的星象也屢次變化，朕當時建議中宗選擇一個兒子讓位避災，中宗大爲不悅。我能勸中宗，難道自己還做不到嗎？』

太子李隆基聞說此事，急忙入宮，以首頓地道：『兒臣以微功，以不當立而立爲太子，憂懼不克勝任，陛下又爲何突然把皇位讓給兒子呢？』

睿宗和顏悅色道：『社稷所以能夠安定，我之所以能夠得到天下，完全是你的功勞。如今星象中的帝座有變，我把皇位讓給你，轉禍爲福，有何不好？』

李隆基跪在地上，不斷地叩頭，不肯接受。

『你是一個孝子，爲什麼一定要等我死後，在我靈柩旁邊即位呢？』

睿宗既然如此說，再要拒絕就是不孝了。於是李隆基只有即位，這就是歷史上大大有名的唐玄宗（唐明皇）。

閱讀心得

【第288篇】

太平公主的下場。

太平公主具有強烈的政治野心，挑撥睿宗與太子李隆基之不合，沒有料到弄巧成拙，睿宗反而提早讓位給太子，是爲唐玄宗。

玄宗尊睿宗爲太上皇，睿宗自稱爲『朕』，下的命令稱爲『誥』。玄宗自稱爲『予』，下的命令稱之爲『制敕』。

姑侄相爭的結果，表面上玄宗似乎贏了，當上天子。可是，太平公主仗著哥哥睿宗的疼愛，依舊擅權用事，作威作福。當時一共有七個宰相，其中有五個出於她的門下；朝廷之中的文武百官，有一半是太平公主的黨羽或心腹，很讓玄宗頭大。

太平公主有意毒死玄宗，她與宮人元氏等準備在赤箭粉中摻毒。赤箭粉是一種珍貴的補品，長久服用，可以增加氣力，延年益壽，結果這條毒計沒有成功。

大臣王琚眼看情勢一天比一天危急，上奏玄宗曰：『事迫矣，不可不趕快起事。』

另外，左丞張說上奏，洛陽派人獻上一把佩刀，意思是說，玄宗應該去除一切，當機立斷。

荊州長史崔日用也上朝奏事：『太平公主謀逆已非一日，陛下以前在

東宮，只是臣子，如果要討伐她，還需要用計謀及兵力。如今陛下已登大寶，只要下一制敕，誰敢不從；萬一太平公主姦宄得志，後悔就來不及了。』

『哎，』玄宗長長嘆了一口氣道：『一切誠如卿言，但恐驚動太上皇。』因爲睿宗再三表示，沒有其他兄弟姊妹，因此對太平公主這份手足之情格外濃厚。

崔日用又進言道：『天子之孝，在於安四海。假設姦人得志，國家成爲一片廢墟，還能稱得上孝嗎？臣請求先定羽林軍，再收逆黨，則不驚動太上皇也。』

玄宗想想，崔日用的話果然有理，於是任命他爲吏部侍郎。

到了秋天七月裏，玄宗接獲密報，『公主欲於是月四日作亂。』玄宗不得不大義滅親了。

由於太平公主的手下不曉得事已外洩，所以輕而易舉被玄宗的人一網打盡。首領竇懷貞逃入厝中，自盡而亡。

睿宗聽說此事，趕到天門樓，郭元振奏稱：『竇懷貞懷有逆謀，皇帝發兵誅懷貞，別無他事。』

睿宗本來就對政治沒有多大興趣，早年目覩母親大人武則天的殘忍殺戮就寒了心。如今又見政爭再起，實在無心再過問此事，何況玄宗又英明能幹。於是他就下了一道命令：『自今軍國政刑，一皆取皇帝處分，朕方無爲養志，以達到一向之心願。』並且立刻遷居百福殿，表示不再理政。

睿宗既然不再管事，玄宗得以有權賜死太平公主於家。

太平公主聽到消息後，跑到深山寺廟之中躲了三天三夜，然後下山。在家中被賜死，她的黨羽數十人一併被處以死刑。

太平公主的兒子薛崇簡數次勸諫母親，被母親好好地打了一頓。所以在這次事件之中，特免一死，官爵如故，贈姓爲李。

至於爲太平公主定計謀的竇懷貞，雖然在大亂中逃入厝中，自縊而死，仍然不被放過。他的屍體被拖出來鞭打，而且，唐玄宗認爲此人太過毒辣，乾脆改姓爲毒。

當時抄沒太平公主的家產，財貨堆如山積，珍物寶玩，雖御府宮廷也望塵莫及。田園所放的利息錢，一連收了幾年都收不完，至於她所養的羊馬，更是數都數不清，像太平公主如此的窮奢極欲，難怪不得善終。

於是唐玄宗正式地成爲李唐王朝第六位皇帝。因爲他有『至道大聖大明孝皇帝』的尊號，所以後人習慣稱之爲唐明皇。

唐玄宗可以說是歷史上最爲人們所熟悉的皇帝之一。他在先天元年即位，在位一共四十三年，包括了開元二十九年，天寶十四年。

開元年間，政治昌明，文治武功均盛，社會繁榮富裕。不僅是唐代的盛世，也可以說是中國歷史上最輝煌的時代。唐玄宗所任用的姚崇、宋璟、張九齡等更是著名的賢相。

在這段時期之內，也是文學詩歌最璀璨的時代。詩聖杜甫、詩仙李白，以及人們所熟悉的王維、孟浩然等都是赫赫的代表人物。

從貞觀以來，一百多年儲蓄下來的國力，在開元時期，像一朵鮮花般綻放了，歷史上稱之爲開元之治。

到了天寶年間，姚崇、宋璟等老臣去世了，玄宗也進入中暮之年。眼看天下安樂，朝政不大放在心上，開始耽於宴樂，漸漸不辨忠奸。任用李林甫、楊國忠等精明能幹，卻又卑鄙無恥的小人，政事日非。

同時，玄宗又寵著楊貴妃，日益驕奢，不理政事。最後，終於在天寶十四年爆發了安史之亂，使得唐朝的國勢由極盛而衰。

閱讀心得

閱讀心得

歷代•西元對照表

朝　　代	起迄時間
五帝	西元前2698年～西元前2184年
夏	西元前2183年～西元前1752年
商	西元前1751年～西元前1123年
西周	西元前1122年～西元前 771年
春秋戰國(東周)	西元前 770年～西元前 222年
秦	西元前 221年～西元前 207年
西漢	西元前 206年～西元 8年
新	西元 9年～西元 24年
東漢	西元 25年～西元 219年
魏(三國)	西元 220年～西元 264元
晉	西元 265年～西元 419年
南北朝	西元 420年～西元 588年
隋	西元 589年～西元 617年
唐	西元 618年～西元 906年
五代	西元 907年～西元 959年
北宋	西元 960年～西元 1126年
南宋	西元 1127年～西元 1276年
元	西元 1277年～西元 1367年
明	西元 1368年～西元 1643年
清	西元 1644年～西元 1911年
中華民國	西元 1912年

國家圖書館出版品預行編目資料

全新吳姐姐講歷史故事. 12. 唐代/吳涵碧 著.
--初版.--臺北市；皇冠，1995〔民84〕
面；公分（皇冠叢書；第2478種）
ISBN 978-957-33-1222-2（平裝）
1. 中國歷史

610.9　　84006928

皇冠叢書第2478種
第十二集【唐代】

全新吳姐姐講歷史故事〔注音本〕

作　　者—吳涵碧
繪　　圖—劉建志
發 行 人—平雲
出版發行—皇冠文化出版有限公司
　　　　　台北市敦化北路120巷50號
　　　　　電話◎02-27168888
　　　　　郵撥帳號◎15261516號
　　　　　皇冠出版社(香港)有限公司
　　　　　香港銅鑼灣道180號百樂商業中心
　　　　　19字樓1903室
　　　　　電話◎2529-1778　傳真◎2527-0904
印　　務—林佳燕
校　　對—皇冠校對組
著作完成日期—1992年01月01日
香港發行日期—1995年09月25日
初版一刷日期—1995年10月01日
初版二十九刷日期—2021年05月
法律顧問—王惠光律師

讀者服務傳真專線◎02-27150507
電腦編號◎350012
ISBN◎978-957-33-1222-2
Printed in Taiwan
本書定價◎新台幣150元/港幣45元